DE8N000313 —

ANNA T'AIME

ANDRÉ M. LIPS

anna t'aime

Les Intouchables

Les Éditions des Intouchables bénéficient du soutien financier de la SODEC et du Programme de subventions par titre du Conseil des Arts.

LES ÉDITIONS DES INTOUCHABLES
4649, rue Garnier
Montréal, Québec
H2J 3S6
Téléphone : (514) 529-7780
Télécopieur : (514) 523-4989

DISTRIBUTION : DIFFUSION DIMEDIA
539, boulevard Lebeau
Ville Saint-Laurent, Québec
H4N 1S2
Téléphone : (514) 336-3941
Télécopieur : (514) 331-3916

Impression : AGMV inc.
Infographie : Sylvain Boucher
Illustration : Marco Campini
Photographie : Benoît Aquin
Modèle : Nadine Langlois

Dépôt légal : 1996
Bibliothèque nationale du Québec
Bibliothèque nationale du Canada

ISBN 2-921775-19-0

6 juillet 1995

— Tu es vraiment superbe, une artiste divine, ma chatte, susurra Jean Édouard, repu de sexe, épuisé et ne souhaitant plus que fermer les yeux et dormir.

— Anna. Je m'appelle Anna, répliqua sèchement la splendide jeune femme rousse qui se tenait, nue, debout au pied du lit.

— Très bien, Anna, très bien. Ne te fâche pas, cela gâcherait une merveilleuse soirée. Je vais me reposer un peu. Ne me laisse pas dormir plus de deux heures, je dois absolument passer un coup de fil avant 1 heure. Tu m'attends et tu me réveilles. D'accord, chérie... Anna? Je te paierai en supplément pour ce petit service.

Anna opina du chef et se dirigea avec une grâce toute féline vers la salle de bains.

... Jean Édouard s'éveilla tout doucement, un léger courant électrique titillant tous ses membres. Son court sommeil et les ébats sexuels qui l'avaient précédé l'emplissaient d'une douce sensation de chaleur et de relaxation. Quelle volupté! Ses bras reposaient au-dessus de sa tête et, en essayant d'atteindre son sexe qui picotait, il s'aperçut que ses mains étaient entravées, ou plutôt que des menottes les retenaient aux montants de la tête de lit.

— Pourquoi as-tu fait cela, ma... Anna? marmonna
Édouard.

— Pour le deuxième service, mon gros, lui lança Anna
d'un ton glacial.

— Je ne t'ai pas payée pour cela, Anna. Et tu devras faire
vite, je dois téléphoner dans moins de deux heures.

L'horloge murale indiquait 23 heures 10.

— Ce sera gratuit pour toi et ça ne prendra pas tout ce
temps.

La rousse féline laissa glisser la serviette de bain noire qui
la couvrait des aisselles aux genoux et, exhibant son corps
parfait, aux hanches rondes et à la poitrine opulente, elle avança
très lentement, lascivement, vers le lit. Elle semblait flotter
au-dessus de l'épaisse moquette de laine, également noire.
L'homme qui reposait sur le lit ne pouvait qu'admirer ces
formes pleines, rendues plus attrayantes encore par la grâce
ondulante de la chatte qui s'avançait vers lui sans faire le
moindre bruit.

Mais toute cette beauté et tout ce charme ne suffirent pas
à déclencher une nouvelle érection. Il sentait bien en lui un
exquis chatouillement nerveux et une agréable tension mus-
culaire, mais il comptait soixante-trois années au calendrier et
son vieux cœur avait déjà essuyé deux attaques.

— Détache-moi s'il te plaît, Anna. Je veux prendre tes
seins à pleines mains et les attirer à ma bouche. Je t'en prie...

Anna, accroupie au-dessus de sa poitrine, ne répondit pas.
Elle se glissa doucement vers l'arrière en frottant sa poitrine
contre celle de son captif, puis contre sa verge qui montrait
maintenant une certaine raideur. Elle saisit ensuite le pénis de
l'homme de sa main gauche et ses testicules de la main droite,
et se mit à le lécher mollement de bas en haut, tout autour, sans
jamais toucher le gland. L'érection du «patient» gagna en
rigidité, elle engloutit alors tout le gland dans sa bouche, le
lustrant de ses lèvres dégoulinantes de salive. Elle continua de

pourlécher le pourtour de son membre, maintenant turgescent, et, lorsqu'elle entendit les râles étouffés et sentit les mouvements saccadés et crispés des reins de son client, elle prit de nouveau tout son membre dans sa bouche en accélérant les mouvements de succion de haut en bas. Elle se retira brusquement lorsqu'elle perçut la «montée de sève» et Édouard éjacula, répandant sa semence sur son abdomen volumineux.

— Je crois que je vais en mourir, Anna. Tu es fantastique! Mais pourquoi ce supplément, dis-moi? murmura faiblement le vieux bonhomme.

Une abondante sueur lui perlait au front, coulait le long de ses flancs, de sa poitrine... et ses membres tressautaient d'épuisement.

— Je me fais un cadeau, mon gros chou gras, lui répondit Anna, qui souriait mystérieusement.

Puis elle le lava des pieds à la tête, minutieusement, et l'assécha avant de le recouvrir en repliant les couvertures sur son corps énorme.

— Dors un bon coup, je te réveillerai à ma façon.

Jean Édouard ne jeta même pas un coup d'œil à la pendule électronique qui affichait 23 heures 50. Il s'endormit comme un bébé après la tétée.

... Cette fois, il ne se réveilla pas de lui-même. Il sentit d'abord un linge glacé qui lui épongeait la figure, puis qui glissait jusqu'à ses organes génitaux. Il ressentait une grande lassitude, il aurait voulu dormir encore des heures, et des raideurs dans chacun de ses muscles : ceux des bras, des cuisses, du dos et par-dessus tout, comme un clou brûlant qui lui transperçait la poitrine. Faisant place à la froideur du tissu qui lui avait effleuré les parties génitales, une chaleur humide enveloppa son pénis : Anna s'était remise à le sucer!

— Anna... je ne pourrai pas... Même si tu parviens à me faire bander, tu ne tireras pas une goutte de plus de mon engin. Et si jamais tu y arrivais, j'en crèverais.

— C'est ça, mon tas de merde : tu vas crever!

Anna lui fourra une débarbouillette sèche dans la bouche et ses yeux de braise, cruels, d'une impitoyable férocité, s'arrêtèrent en croisant ceux, exorbités par la terreur, de Jean Édouard. Mais elle se remit immédiatement à la «tâche», y mettant toute son énergie et toute sa technique. Le vieil homme sentit bientôt monter en lui un mélange électrisant de douleur et de jouissance; il n'aurait su dire laquelle prédominait ou si elles ne faisaient qu'un! Ses craintes s'atténuèrent rapidement : Anna n'avait fait qu'une plaisanterie après tout! Pourquoi cette fille aurait-elle voulu le tuer et surtout de cette façon? Absurde!

Annà parvint à ses fins : quelques gouttes de sperme aqueux, puis un mince filet de sang s'écoulèrent du membre du mâle agonisant et le cœur de ce dernier lâcha...

Pour la troisième fois, Anna se dirigea vers la salle de bains et y prit une douche «énergique» : elle se frotta tout le corps vigoureusement à l'aide d'un gant de crin, espérant effacer la moindre trace laissée sur son corps par ce porc adipeux. Elle regagna la chambre, toisa d'un regard froid, vide de toute émotion, le cadavre de M. Édouard et extirpa d'un grand sac à main un blue-jean moulant, un t-shirt et une veste de nylon bleu poudre. Elle y enfourna un costume bleu sombre et une flamboyante perruque rousse bouclée. Elle se posta ensuite devant le miroir en pied plaqué au mur et s'habilla sans hâte, tirant de temps à autre de lentes bouffées d'une cigarette longue du monsieur. Elle attacha ses longs cheveux blond cendré en chignon et les dissimula sous un foulard de soie beige qu'elle tira d'une des poches de la veste. De l'autre, elle tira une paire de gants chirurgicaux et une autre de daim. Elle enfila les gants de matière plastique et trempa l'index de la main gauche dans le sang de son client, se dirigea ensuite vers le miroir et commença à y écrire. Elle dut faire l'aller-retour trois fois, du lit où elle tirait son «encre» au miroir qui lui servait de tableau noir, avant de compléter son message : «TU N'AS RIEN ENTENDU». Une fois cette tâche terminée, elle se dirigea vers la salle de bains, jeta le mégot de cigarette dans la cuvette des toilettes et tira la chasse. De retour dans la chambre, elle effaça soigneusement toutes les empreintes qu'elle avait pu y laisser : sur les poignées de porte, les verres, les montants du lit, les cendriers...

Elle enfila ensuite les gants de daim et la veste bleu pâle, sortit de la chambre en laissant toutes les lampes allumées et marcha dans le couloir vide jusqu'aux escaliers de secours. Elle les descendit et sortit par la porte donnant sur le stationnement des employés.

7 juillet 1995

Le lieutenant de la criminelle Denys Paquin décrocha paresseusement l'appareil téléphonique qui gisait sur sa table de chevet; peu importait l'heure, une ou deux sonneries suffisaient à le tirer du sommeil. Il répondit d'une voix alourdie par la somnolence :

— Lieutenant Paquin...

— Denys, J.-F. à l'appareil. Nous avons un macchabée dans la chambre 818 de l'hôtel Royal. Selon toute vraisemblance — ce n'est rien d'officiel — il serait mort d'une crise cardiaque causée par un surmenage... sexuel!

— Quoi, Caron?! Tu me déranges en pleine nuit pour un vieux tordu qui est mort en s'ébrouant avec une p'tite jeune pute! Ça va pas, la tête?

— D'abord, Denys, qui t'a dit qu'il était vieux et, ensuite, que sa crise de cœur avait été provoquée par une jeune pute, hein? Même si je t'ai tiré du sommeil, tes idées sont-elles claires?

— Très claires. Les réponses. Un : si son cœur a lâché parce que le type s'est envoyé en l'air, il ne devait pas s'agir d'un jeune étalon de deux ans. Deux : si sa femme légitime ou même sa maîtresse l'avait expédié de l'autre bord, elle aurait appelé l'ambulance et la police, et aurait sagement attendu, en pleurant toutes les larmes de son corps, que ces braves arrivent sur les lieux. Me prends-tu pour un bleu fraîchement sorti de l'école de police? Dis-moi plutôt pourquoi tu me réveilles pour ce fait divers.

— C'en serait un, comme tu dis, si le vieux — eh oui, tu as raison — ne se nommait Jean Édouard, monsieur le juge Jean Édouard, et que nous ne l'avions pas trouvé les menottes aux poignets, attaché au lit, raide mort!

— Jean Édouard! Doux Jésus! Donne les instructions habituelles à tes bleus et ne bouge pas de là, J.-F. J'arrive tout de suite.

Le lieutenant Paquin s'assit sur le bord de son lit, tira une super longue de son paquet, l'alluma nerveusement, gratta son crâne partiellement dégarni et pensa :

— Juge ou pas juge, un vieux se paie une p'tite jeune «pro»; il trouve ça tellement fameux qu'il en redemande un peu trop et crac... la patate lâche! Les menottes? Peut-être un de ses fantasmes! La jeune fille a paniqué et s'est enfuie. Affaire criminelle? Je ne crois pas. Mais allons-y voir quand même! Un juge...

* * *

Le lieutenant Paquin arriva à la chambre 818 de l'hôtel Royal, se fraya un chemin, tenant à bout de bras sa carte d'officier de la police criminelle — pour les bleus qui ne le connaîtraient pas — et y entra. Le sergent J.-F. Caron l'attendait à l'intérieur :

— Bonjour, lieutenant Paquin (il l'appelait toujours ainsi lorsqu'ils n'étaient pas seuls), nous avons relevé quelques indices sans déranger quoi que ce soit. Il n'y avait pas grand-chose à chambarder, de toute façon.

— Bien. Je vais faire un tour de piste et après vous déménagerez tout ce que vous voudrez, sergent Caron.

Denys Paquin, l'œil inquisiteur, effectua son tour du propriétaire assez rapidement et, en apparence tout au moins, de façon fort négligente. Il n'était pas nécessaire d'avoir une vue

13

d'épervier pour apercevoir le premier indice, une note en grosses lettres rouges inscrite sur le miroir de la coiffeuse : «TU N'AS RIEN ENTENDU». Denys Paquin s'approcha, effleura les lettres du message, huma le bout de son index. Cela n'avait pas été écrit avec du rouge à lèvres, comme il l'avait d'abord cru, mais avec du sang! Le sergent Caron l'avait sûrement remarqué lui aussi. La suite de la visite ne fut que routine : pas grand-chose à voir.

Après que le lieutenant Paquin eut tiré une cigarette de sa poche et se fut retiré dans le corridor pour la griller, le sergent Caron fouilla, gratta, picora et ramassa, comme une bonne mère poule, la pitance de ses poussins, puis rejoignit le lieutenant, la mine quelque peu déconfite...

— Alors, Caron?

— Vous avez vu la note d'adieu tout comme moi, lieutenant. À part cela, presque rien. Nous avons relevé les empreintes du client un peu partout, c'est du moins ce qu'il semble au premier coup d'œil : il faudra vérifier cela au labo. Mais il n'y a qu'un seul type d'empreintes digitales, j'en suis certain. Nous avons également trouvé trois sortes de cheveux : des gris-blanc, vraisemblablement ceux du juge décédé; des blonds longs et des roux bouclés; ceux-là devraient appartenir à la femme.

— Pourquoi pas à deux femmes? interrogea Paquin.

— J'ai personnellement interrogé les employés en fonction lors de l'arrivée de M. Édouard et de sa compagne. Le préposé à l'accueil a reconnu le monsieur, le cadavre ici gisant, qui a signé le registre de l'hôtel, et un garçon d'étage l'a vu prenant l'ascenseur avec une jeune femme rousse vêtue d'un costume noir ou bleu sombre.

— Et le monsieur a signé?

— Claude Melançon, tout simplement.

— Comment ça, tout simplement?

— Melançon est le chauffeur privé de monsieur le juge.

Je l'ai également interrogé; il a mis tout le personnel de l'hôtel en émoi. Son patron ne l'ayant toujours pas appelé à 1 heure, il a littéralement investi la place. Il a posé des questions, menacé, tenté de soudoyer, et peut-être réussi, bref, il a joué toutes ses cartes pour tenter de retrouver son patron et il y est parvenu. Une fois rendu à la chambre 818, il n'a eu qu'à pousser la porte pour découvrir son vénéré patron dans l'état où vous le voyez présentement. Il s'est empressé de téléphoner au 911 et a attendu dans le couloir, face à la porte. Personne n'a pu y pénétrer ni en sortir avant notre arrivée. Il arpente toujours le corridor...

— Bon Dieu, un employé zélé comme il ne s'en fait plus!

— Pendant notre «conversation», il a dit, à deux ou trois reprises, qu'il considérait M. Édouard comme son père. Il travaille pour le juge depuis dix-sept ans en tant que chauffeur, garde du corps, cuisinier, jardinier et j'en passe! Depuis dix-sept ans : depuis sa sortie de prison pour meurtre!

— Oh! la la! Suspect et au-dessus de tout soupçon à la fois! Nous nous trouverions avec un beau dilemme sur les bras si le vieux n'avait pas craqué en baisant une jeune pouliche!

— O.K., sergent Caron, invitez tous ceux qui ont vu, entendu ou cru voir ou entendre quoi que ce soit à passer au bureau demain dans la matinée, ou plutôt ce matin, 10 heures. Je vais les passer au crible pendant que vous jaugerez leurs réactions derrière le miroir. Cela vous va, sergent?

— Parfait pour moi, lieutenant Paquin.

7 juillet 1995, 10 heures

— Alors, sergent Caron? Tout ce que je vous ai demandé a été fait et vous êtes prêt pour l'interrogatoire? Au rapport, immédiatement, lança Denys Paquin d'un ton sec, presque brutal.

Puis il lança un clin d'œil au sergent et esquissa un large sourire tout en lui faisant un signe de tête que son collègue connaissait bien. J.-F. Caron ferma la porte derrière lui et prit une chaise en face du bureau de son lieutenant.

— *Primo*, le rapport d'autopsie du médecin légiste : le juge a bel et bien succombé à un infarctus, son troisième, fort probablement causé par un trop grand effort physique. L'effort physique en question serait d'ordre sexuel, car le vieil obèse n'avait plus une goutte de sperme dans les couilles. De plus, le doc a retrouvé des traces de sang dans l'urètre, le même que celui qui tachait les draps et qui a servi pour écrire la note sur le miroir. L'ultime effort! *Secundo*, les seules empreintes prélevées dans les deux pièces de la chambre 818 appartiennent à Jean Édouard. *Tertio*, les cheveux gris-blanc sont ceux du juge et les blonds ainsi que les roux, bien que naturels, n'ont pas poussé sur le même crâne. Les tests d'ADN l'ont démontré. Enfin, le doc n'a pas découvert la moindre molécule de sang, de salive, de peau, de rouge à lèvres, de maquillage... rien sous les ongles ou entre les dents ou ailleurs sur le corps de la victime. Il a été lavé des pieds à la tête et plutôt deux fois qu'une : avant et après la mort, toujours selon les examens et les analyses du doc! Et le doc Campeau, c'est pas un deux de pique! Tu connais?

— Oui, J.-F. Et tu as dit «la victime» tantôt. Alors tu es sûr et certain qu'on l'a froidement assassiné?

— Sûr. Un homme de cet âge-là ne baise pas à mort; il n'était ni ivre ni drogué. Et on lui a passé des menottes, ce n'est pas pour rien. Il a été baisé à mort par la femme qui l'accompagnait et qui s'est évanouie dans la nature. Pourquoi? C'est la seule chose qui me paraît sûre : la vengeance! Elle a laissé 1 360 dollars dans son porte-monnaie, sa montre Rolex, ses cartes de crédit et, ne l'oublie surtout pas, son message. Nous ne pouvons douter du mobile, Denys, la vengeance.

— Ouais. Un drôle de meurtre. Meurtre par crise cardiaque provoquée par le sexe, exécuté par une pro qui n'a apparemment pas besoin d'argent. En connais-tu beaucoup de putes qui pratiquent le métier pour le plaisir? Le plaisir de faire crever leurs clients en plus! Nous avons un joli mystère sur les bras, J.-F.! Appelle ton homologue le Dr Watson. Peut-être qu'avec une bonne ligne de coke il pourrait l'élucider, lui, le mystère! Moi, je ne *sniffe* pas et je ne vois pas; il nous reste seulement la vengeance. Laissons cela pour le moment et allons-y pour les interrogatoires, J.-F. Ça va peut-être nous éclairer!

— Allons-y, Denys. C'est peut-être élémentaire et le très évident va nous sauter au visage bientôt!

Les deux vieux comparses — ils se connaissaient depuis l'école secondaire — se laissèrent aller à rigoler un peu. Ils ré-ajustèrent ensuite leur cravate, revêtirent leur veston, se donnèrent un air «Torquemada» et lorsqu'ils eurent retrouvé leur allure de bons flics sérieux, Denys fit entrer le premier témoin : le chauffeur. Pendant ce temps, J.-F. se glissa dans la pièce attenante et s'installa confortablement dans un fauteuil derrière le faux miroir.

Le deuxième interrogatoire des témoins ne leur apporta pas beaucoup de nouveaux éléments. Le chauffeur répéta ce qu'il avait déjà dit la première fois : il avait conduit son patron, le juge Jean Édouard, dans sa limousine, à l'hôtel Royal. Celui-ci était accompagné d'une jeune femme bien roulée, rousse, portant un costume sombre. Il ne pouvait donner plus de détails, car le panneau vitré séparant le chauffeur des passagers est teinté et ne permet pas de distinguer clairement les traits des passagers à l'arrière. Lorsqu'il déposa Édouard et sa compagne à l'hôtel, il ne vit celle-ci que de dos, d'où sa brève description : bien roulée, rousse... Melançon ajouta qu'il était habitué aux petites soirées de son patron. La façon de procéder était toujours la même : une fois son patron rendu à destination, il s'installait dans un bar avoisinant et attendait, en sirotant un verre ou deux et en lisant des magazines de sport, que celui-ci le contacte par téléphone cellulaire. S'il n'avait pas reçu l'appel à 1 heure, il se rendait à l'hôtel où il avait laissé son patron, demandait la chambre de Claude Melançon — il savait que le juge inscrivait toujours son nom à lui sur le registre de l'hôtel — et il demandait au juge si tout allait bien. Dans l'affirmative, ce qui avait toujours été le cas jusqu'ici, il attendait dans le hall que son patron se pointe, le plus souvent seul.

Les employés de l'hôtel répétèrent eux aussi leur déposition précédente. Seul le préposé à la réception avait vu le juge Édouard, qui avait signé Claude Melançon. Non, il ne connaissait pas le monsieur en question, bien qu'il croyait l'avoir déjà vu à quelques reprises, quelque part ! Il avait tout juste entrevu la dame qui l'accompagnait : jeune, environ trente ans, sculpturale, cheveux roux, lunettes noires, costume bleu marine ou noir.

Le préposé qui assurait le service aux chambres avait déposé deux bouteilles; une de Dom Pérignon et une de Gewurztraminer, à la porte de la 818, l'affichette NE PAS DÉRANGER étant accrochée à la poignée de la porte. Il n'avait alors donné que deux brefs coups de carillon, puis s'était retiré sans attendre : tout avait déjà été réglé en bas, pourboire, un bon pourboire, compris. Personne n'avait vu ressortir la jeune femme rousse ni de la chambre, ni de l'hôtel.

— Nous sommes bien avancés J.-F., hein?

— Super, Denys. Nous n'avons absolument rien à nous mettre sous la dent. Les témoins n'ont aperçu qu'une fugace «ombre rousse» et j'aurais tendance à croire que la dame en question portait une perruque, d'où la présence de cheveux roux et de cheveux blonds dans la chambre 818. Nous n'avons pas le moindre indice : empreintes, salive, sang ou autre. Mais nous tenons peut-être le mobile, ce qui est rare au début d'une enquête : le message sanglant laissé par la tueuse! La «cliente» en voulait sans doute au juge, mais cela ne nous avance pas beaucoup plus : il a rendu exactement 2 486 jugements depuis son accession à la magistrature. Dans 984 de ces cas, l'accusé était une femme. Et pardonnez-moi, *boss*, mais je n'ai ni le temps, ni le goût de faire le tour des membres de la famille, des amis, des relations de travail... des accusées. Alors, comme indice!

— Et le *big boss* qui va me tomber dessus d'un instant à l'autre : le juge Jean Édouard assassiné par une pute. Je vois ça d'ici!

8 juillet 1995

Des cris stridents, perçants, des hurlements effroyables crevaient les parois de chêne, dévalaient les couloirs et dépoussiéraient les murs de pierres de taille grises du couvent. Ils provenaient de l'aile ouest de l'édifice, dont un seul appartement était habité : celui où logeait *sœur Anna*. Auparavant, le vieil homme à tout faire — jardinier, menuisier, boucher, concierge — du monastère y vivait, mais depuis son décès, on ne l'avait pas remplacé, faute de ressources financières, et trois ou quatre petites sœurs converses se partageaient les tâches. Chambre froide, remise à bois de chauffage sec, réserve de fruits et légumes, cellier pour le cidre, etc., occupaient le reste de l'aile.

Mère Alexandra, la supérieure du couvent, ne resta pas pétrifiée de terreur comme la plupart des autres religieuses de l'endroit; elle s'était plus ou moins habituée, avec le temps et contrairement à ses compagnes, à cette épouvantable mais tout de même supportable situation. De toute façon, c'est ce que se disait depuis fort longtemps la stoïque mère supérieure, il n'y avait rien à craindre ni pour ses nonnes ni pour la santé d'Anna, puisque ces crises se répétaient à intervalles plus ou moins réguliers depuis plus de huit ans, soit depuis l'arrivée d'Anna dans ce refuge de paix, de prière et de silence. Malgré tout, nul ne pouvait vraiment demeurer de glace lorsque ces cris terrifiants, exprimant l'horreur la plus absolue, reniflant la mort, déchiraient les voiles de tranquillité de cette oasis ! Mais, heureusement, ils ne duraient habituellement pas très longtemps, à peine quelques minutes, et ils annonçaient la deuxième phase du drame à venir : des torrents de sang s'écouleraient du vagin d'Anna !

Deux religieuses, toujours les mêmes, accompagnaient mère Alexandra et partageaient avec elle la tâche d'éponger ces écoulements, de laver Anna, de lui appliquer des compresses froides sur le corps et de lui tenir les bras et les mains pendant qu'elle se raidissait, se cabrait, se débattait contre les démons invisibles qui l'assaillaient. Puis, lorsque les saignements cessaient, plus d'un litre à chaque occasion, Anna se détendait, ses yeux exorbités, son regard gelé, halluciné reprenaient apparence humaine et un état semi-comateux l'envahissait alors, auquel succédait une série de monologues saisissants. Parfois, Anna révélait quelques bribes de son passé, d'autres fois elle donnait des directives précises sur la marche à suivre pour contrer les problèmes présents ou futurs de la communauté. Enfin, rarement, elle les sommait de lui emmener une sœur en particulier, qu'elle appelait par son nom de religieuse ! Et chaque fois, d'un simple contact avec Anna, la sœur en question se trouvait guérie de sa maladie, légère ou grave, vénielle ou mortelle !

— Sœur Agathe, sœur Lucie, accompagnez-moi, pressez-vous ! hurla presque mère Alexandra.

Pourtant, les deux nonnes en question se tenaient déjà tout près d'elle ! Et tout le matériel nécessaire pour remédier à l'état de crise remplissait déjà un petit chariot métallique sur roulettes que tenait sœur Agathe : compresses, glace, contenants d'eau bouillante, seaux hygiéniques, vêtements propres, etc. Les trois religieuses s'élancèrent vers l'aile ouest et couvrirent la distance qui les séparait de la chambre d'Anna au pas de course. Les cris diminuaient en intensité : les saignements allaient commencer très bientôt. Elles parvinrent rapidement à la chambre, sise complètement à l'extrémité du long corridor, près de la sortie que personne n'utilisait plus depuis la mort du père Clovis. Elles entrèrent, la porte de la chambre n'étant jamais fermée à clé dans ces occasions. Anna anticipait-elle ses crises? Sans doute. Les religieuses eurent tout juste le temps de la dévêtir et de disposer les linges absorbants avant que le flux sanguin ne commence à s'écouler. Les trois femmes se relayaient. Pendant qu'une d'elle changeait les tissus absorbants, jetant ceux qui étaient ensanglantés dans un seau vide, les remplaçant, une autre maintenait une compresse froide sur le front d'Anna, et une dernière lui tenait fermement les bras entre les siens. Une fois la coulée terminée, les trois sœurs enlevèrent tous les linges et toute la literie souillée, lavèrent scrupuleusement Anna à l'eau chaude savonneuse, la relavèrent à l'eau tiède claire et la placèrent dans un bon lit frais et propre. Anna avait retrouvé apparence humaine, ses membres reprenaient leur chaleur normale et un doux sourire éclairait maintenant son visage décontracté.

— Emmenez-moi sœur Sophie immédiatement, murmura Anna sans ouvrir les yeux.

Bien que prononcées calmement et doucement, ces paroles n'admettaient aucune réplique : il fallait obtempérer! De toute façon, cet ordre signifiait pour l'élue la guérison à coup sûr! On s'en fut quérir sœur Sophie, qui priait à la chapelle...

Aussitôt sœur Sophie arrivée dans la chambre, Anna, toujours en état de semi-coma, lui saisit doucement les mains et les lui caressa longuement, tendrement. Elle ne prononça cependant pas le moindre mot. Elle cessa ensuite ses câlineries, lâcha les mains de sœur Sophie, replia les siennes sur sa poitrine, ferma les yeux et s'endormit d'un sommeil profond. Seules de longues et profondes respirations permettaient de savoir qu'elle vivait toujours!

— Je viendrai lui rendre visite à 19 heures, vous la veillerez jusqu'à minuit, sœur Agathe, et vous passerez la voir de temps à autre entre minuit et 5 heures, sœur Lucie. Laissons-la maintenant; elle semble tout à fait remise. Si un changement important survenait, venez me prévenir immédiatement, dit mère Alexandra, s'adressant à ses deux acolytes en les quittant...

Aucun événement particulier ne vint perturber le sommeil d'Anna et, lorsque sœur Lucie vint lui rendre visite à l'aube, elle était déjà debout et avait revêtu son costume de novice.

— Alors, Anna, comment vous sentez-vous ce matin?

— Un peu faible, mais j'ai dormi comme une marmotte en hiver et j'ai une faim du diable... oh! pardon, sœur Lucie! une faim de loup.

— Allons donc, Anna, je ne suis quand même pas si scrupuleuse, ni si plate? répliqua sœur Lucie, la figure toujours traversée d'un large sourire.

— Nous filons au réfectoire alors, Anna?

— Oui. Mais auparavant, je dois rendre visite à sœur Sophie.

Mise à part cette requête qu'Anna réitérait au lendemain de chaque guérison, rien ne pouvait laisser savoir si elle avait eu conscience ou non de sa crise. Elle n'en parlait jamais et nul dans la communauté n'y faisait la plus petite allusion. C'était la règle d'or du couvent : toujours laisser Anna seule dans son logement de l'aile ouest. Ne la déranger sous aucun prétexte et surtout, surtout, ne jamais, au grand jamais, lui faire la moindre mention au sujet de ses crises.

Anna, les autres jours du mois, agissait à peu près comme toutes les autres religieuses du couvent. Elle prenait ses repas au réfectoire, se rendait à la chapelle aux heures prescrites et s'acquittait de ses tâches d'admirable façon. Dans les faits, Anna ne s'occupait qu'à une seule et unique besogne : à sa demande, elle voyait à l'entretien du jardin potager et du jardin fleuri. Et quel potager! Et quelles fleurs! Tout ce qui pouvait croître dans cette terre y poussait merveilleusement bien. La table des bonnes sœurs regorgeait de légumes frais tout au long de la belle saison : brocolis, aubergines, fèves, choux-fleurs, pois... et les salades préparées par sœur Angélina recelaient toujours une ou plusieurs sortes de fines herbes : thym, sarriette, estragon, cerfeuil... qui en rehaussaient la saveur et l'arôme.

Et durant la morte saison, elles ne manquaient jamais de pommes de terre, de carottes, de poireaux et de choux! De plus, la chapelle et les salles communes étaient ornées régulièrement de plusieurs variétés de fleurs, de mai à octobre, et de gerbes de diverses plantes et fleurs séchées le reste de l'année. Deux choses différenciaient Anna des autres religieuses : son état de novice et ce logement de l'aile ouest qu'elle avait occupé dès son arrivée au couvent. Les raisons en étaient plus qu'évidentes : son statut particulier, ses crises, ses fonctions de jardinière, etc. Ce petit appartement se trouvait tout à fait à l'extrémité du couloir de l'aile ouest, tout près de la porte donnant justement sur le jardin. Seule Anna l'utilisait, comme l'avait fait le père Clovis avant elle. Et hormis les cas d'urgence, seule sœur Angélina, la cuisinière et herboriste en chef du monastère, venait dans l'aile ouest pour aider Anna à transporter les fruits et légumes, les plantes et les fleurs ainsi que le bois de chauffage durant la saison froide. Aucune autre religieuse n'y venait, sauf sœur Lucie et sœur Agathe qui assistaient mère Alexandra pendant les crises d'Anna, à moins que l'une d'elles ne soit appelée pour une guérison!

Sœur Lucie et Anna s'arrêtèrent donc à la chambre de sœur Sophie. Anna y entra seule, après avoir frappé à la porte de la petite cellule et obtenu une réponse. Elle referma derrière elle. Sœur Sophie se tenait debout, au centre de la pièce, complètement nue! Elle s'était levée quelques minutes auparavant et, après une courte prière matutinale, avait commencé ses ablutions. Quelle surprise! Elle vit très bien que ses mains et ses bras ne portaient plus la moindre trace de son terrible mal. Elle ne pouvait voir son visage, les règles du couvent interdisant les miroirs, mais elle s'était entièrement dévêtue et avait pu constater que la peau de son ventre et de ses jambes montrait un doux reflet satiné. Plus de plaques rougeâtres, plus de tissus croûtés et bleuis, plus de plaies suppurantes, plus rien! Elle devinait bien que le reste de son corps — son visage, son dos, ses fesses — devait présenter le même aspect, mais elle ne pouvait en être sûre. Aussi, lorsqu'Anna cogna à sa porte, sœur

Sophie n'hésita pas à se montrer à elle dans cet état de complète nudité. Quand celle-ci lui eut confirmé que tout son corps était véritablement guéri de cette horrible maladie qui affectait sa peau depuis son adolescence, sœur Sophie se jeta dans ses bras sans se préoccuper de sa nudité. Elle était tellement heureuse de se voir débarrassée de ces hideuses et répugnantes squames, ainsi que des démangeaisons qu'elles provoquaient, qu'elle aurait traversé tout le couvent et même la ville entière sans même se recouvrir du moindre mouchoir de poche !

— Habillez-vous, sœur Sophie, et allons de ce pas voir mère Alexandra.

— Oui, oui. J'arrive tout de suite. Anna... je vous adore !

— Tut, tut, sœur Sophie, ton Dieu seul tu adoreras !

Sœur Sophie rougit des orteils jusqu'aux oreilles, mais conserva quand même son radieux sourire pendant tout le temps qu'elle mit à se vêtir et tout au long de leur marche jusqu'aux appartements de la mère supérieure.

4 août 1995

— Quelle magnifique panthère noire...! Un vrai félin... avec les rondeurs aux bons endroits.

— Nous nous étions entendus pour 400, je crois? répliqua la jeune femme à l'abondante chevelure noir de jais.

— C'est bel et bien le montant convenu. Je te les donne tout de suite : tu les as amplement mérités.

Ce fut seulement à ce moment, lorsqu'il tenta de s'extirper du lit, que Jules Riopel s'aperçut que ses poignets et ses chevilles étaient solidement ligotés aux montants du lit grâce à de solides cordelettes de nylon.

— Qu'est-ce que cela, ma belle?

— Un supplément gratuit, mon Jules.

— Tu n'avais nul besoin de m'attacher pour cela. Tu peux faire de moi tout ce que tu voudras, ma très douce chatte noire!

— Je me nomme Anna... Et c'est en plein ce que je vais faire, p'tit Jules!

Anna posa son sac à main au pied du lit, entre les jambes écartées et immobilisées de Jules Riopel. Puis elle se mit à exécuter une lente, provocante, presque animale danse lascive : chaque muscle de son corps ondulait rythmiquement pendant qu'elle caressait sa généreuse poitrine d'une main et son sexe de l'autre. Plus elle s'approchait du lit, tout le corps en mouvement, plus le membre viril du «patient» durcissait. Elle s'approcha encore, tout près de lui, s'agenouilla, une jambe de chaque côté de son torse, et descendit lentement ses seins vers la bouche humide de Riopel, qui les lécha goulûment. Elle se redressa ensuite brusquement et fourra un chiffon dans la bouche grande ouverte de l'homme. Le laissant à sa surprise, Anna se glissa le long de son thorax et, parvenu à son sexe, le saisit à pleines mains et entreprit de le sucer avidement. Malgré la boule de tissu qui l'étouffait presque, elle pouvait entendre les gémissements de plaisir de son client. Elle se releva de nouveau et, continuant de masturber rapidement, d'une main, le pénis au faîte de son érection, elle ouvrit son sac de cuir et en sortit une petite serpe aux reflets argentés. Remontant sa main gauche vers le haut du pénis de Jules Riopel, elle le trancha net, d'un seul coup vif de la main droite. Riopel poussa un cri de douleur abominable qui resta bloqué dans sa bouche, assourdi par le chiffon trempé. Ses yeux furent projetés hors de leur orbite, vitrifiés par la douleur et une impuissante terreur. Anna sortit rapidement du lit et se posta face à lui, regardant le sang s'échapper en jets rythmés de la plaie que la «chirurgie» avait laissée. Tous les membres de l'homme étaient agités de convulsions frénétiques, ses poignets et ses chevilles se cerclaient de bleu violacé tandis que ses mains et ses pieds devenaient d'une blancheur cadavérique. Malgré l'insupportable douleur qui le tenaillait, l'homme tentait désespérément de se dégager. Bientôt, les jets de liquide rouge se transformèrent en un flot continu de sang bleuâtre; les soubresauts du corps de la victime ne furent plus que de légers tremblements et les efforts des bras et des jambes cessèrent complètement. Anna attendit encore de longues minutes, jouissant de chaque seconde du spectacle. Puis, ne percevant plus le moindre mouvement, même spasmodique, elle s'approcha du cadavre. Elle retira le chiffon de sa bouche et y enfonça à la place le pénis dégoulinant de sang qu'elle serrait dans sa main gauche depuis le début de la lente et mortelle torture. Elle enfila ensuite une paire de gants chirurgicaux et trempa l'index et le majeur de sa main gauche dans la mare de sang où baignait le cadavre. Elle se dirigea tout doucement vers la coiffeuse et inscrivit sur le miroir en grandes lettres coulantes : «TU N'AS R». Elle revint vers le lit pour refaire le plein d'*encre rouge*, retourna au tableau de verre et y inscrivit quelques autres lettres sanguinolentes : «IEN DIT».

Une fois sa tâche de scribe terminée, Anna s'engouffra dans la salle de bains et y prit un bain puis une douche brûlante tout en se frottant énergiquement avec un gant de crin. Elle en ressortit la peau toute rosée, son teint brunâtre s'étant écoulé avec l'eau du bain! Elle se vêtit ensuite très posément, prenant une bouffée de cigarette à chaque mouvement ou presque, d'un collant bleu poudre, d'un t-shirt jaune citron et d'un ciré de la même couleur. Elle remonta ses longs cheveux blonds en chignon, les attacha et les dissimula entièrement sous un foulard également bleu poudre. Elle remplaça les vêtements qu'elle avait extraits de son sac en cuir noir par une perruque aux cheveux noirs et par les vêtements qu'elle portait en entrant : une ample et longue robe de coton à motifs de fleurs tropicales multicolores. Elle retourna à la salle de bains pour jeter son mégot de cigarette dans les toilettes, sans oublier de faire fonctionner la chasse d'eau, et elle en profita également pour arrêter la douche qui projetait son jet d'eau bouillante depuis qu'elle en était sortie. Elle prit ensuite bien soin d'effacer toutes les empreintes qu'elle aurait pu laisser dans l'appartement et sortit par l'escalier de secours qui donnait sur une ruelle fermée à la circulation automobile.

* * *

— Lieutenant Paquin...

— Denys, J.-F. Caron à l'appareil. Deux de nos agents viennent de me téléphoner d'un appartement de la rue Notre-Dame. Le propriétaire de la place les a appelés parce qu'il a découvert un macchabée, ce matin, dans l'appartement qu'il avait loué l'avant-veille à une jeune et belle inconnue. Un des deux agents a tout de suite reconnu la victime, car il s'agit bien d'une victime cette fois. Il n'existe vraiment aucune possibilité qu'il s'agisse d'une mort naturelle ou d'un suicide.

— O.K., J.-F., accouche! Tu es certain qu'il s'agit bien d'un meurtre? Bien, alors qui et pourquoi? Et si tu m'appelles, c'est que nous n'avons absolument rien comme point de départ. C'est ça?

— Non, Denys. Et laisse-moi finir, s'il te plaît! Je vais répondre à tes questions, et même mieux, dans l'ordre. D'abord, la victime. Il s'agit de Me Jules Riopel, procureur général; il plaidait dans des causes criminelles seulement. Ensuite, pourquoi s'agit-il sans aucun doute d'un meurtre? Le martyr, attaché aux quatre poteaux du lit, est mort au bout de son sang avec son pénis sectionné dans la bouche! Alors nous laissons tomber la probabilité de suicide ou de mort naturelle! Deuxièmement, nous en savons un peu plus au sujet de la meurtrière — est-ce qu'on peut dire ça, Denys, une «meurtrière»? — car, hormis le fait que toutes les empreintes avaient été sciemment effacées, nous avons trouvé des cheveux châtains courts, ceux de la victime, ainsi que de longs cheveux noirs et des blonds. Les blonds appartiennent à la personne qui a assassiné le juge Édouard. Nous avons très certainement affaire à une femme car, cette fois, le meurtre a été commis dans un appartement loué par une femme et le propriétaire de l'appartement en question a rencontré sa future locataire pour le lui faire visiter.

— Bon Dieu, J.-F.! Essaies-tu de me dire qu'une femme a loué un appartement en laissant ses coordonnées : nom, adresse précédente, employeur, etc. Qu'elle s'est pavanée devant le proprio, a visité l'endroit avec lui, a signé un bail et payé, puis qu'elle y a tout bonnement emmené son «jules», l'a baisé et zigouillé de manière atroce, puis est allée faire une promenade?

— Denys, calme-toi! Pour une fois que je t'apporte de quoi bouffer... tu t'emportes! D'abord, une chose est sûre : l'assassin du juge et celui du procureur, c'est une seule et même personne. Les cheveux blonds retrouvés sur les lieux des deux crimes l'attestent. Deuxièmement, à l'hôtel Royal, nos témoins ont aperçu une sculpturale jeune femme rousse accompagnant le juge, et la locataire de l'appartement est une magnifique femme au début de la trentaine, cheveux noirs et teint foncé, genre Jamaïquaine mulâtre : j'utilise les mots du proprio. Nous avons donc affaire à une seule et même femme, maître ès déguisements : costumes, perruques, maquillage, etc. Enfin, tous les autres renseignements qu'elle a fournis s'avèrent évidemment faux : adresse précédente, employeur, références... Le propriétaire, Alphonse Leroux, n'a rien vérifié du tout. La jeune femme a payé un mois d'avance en liquide, 700 dollars! C'est un appartement «dans le très chic» et elle lui inspirait tellement confiance! Avant que tu m'interrompes... la jeune femme a signé Anna Bourré. Juste dans la ville de Québec, on trouve huit personnes nommées Bourré et trois dont le prénom commence par A. Je ne crois évidemment pas qu'elle ait donné son nom véritable, j'ai deux agents qui vérifient des identités et je leur ai bien spécifié de ne s'en tenir qu'à une partie du signalement : grande, 1,75 mètre, et très, très jolie, formes avantageuses, parle très bien le français, distinguée et tout. Six autres agents dressent l'inventaire des putes et se mettront très bientôt aux interrogatoires «privilégiés» : nous leur pardonnerons quelques accrocs à la loi en échange de leur collaboration... Le train-train, quoi...!

— Doux Jésus, J.-F., mets-y le paquet. Deux meurtres : un juge et un procureur général assassinés de façon horrible et par la même personne! Peut-être par une prostituée de luxe en plus? Je vais avoir le ministère de la Justice sur le dos d'ici vingt-quatre heures et peut-être «M. Gentillesse» lui-même!

— Qui?

— Jim Gentile, surnommé «M. Gentillesse» ou «*Mr. Gentle*», c'est selon. C'est le nouveau patron de l'escouade fédérale spéciale chargée des meurtres en série.

— Quoi? Les fédéraux n'ont pas à fourrer leur nez là-dedans, Denys! C'est de notre ressort : nous sommes l'escouade des crimes contre la personne et ça se passe sur notre territoire! Et meurtres en série? C'est le deuxième seulement!

— Deux, ça fait une série, J.-F.! Et dans ces cas-là, il n'est plus question de territoire ou de juridiction ou de ce que tu voudras. C'est pire que les mesures de guerre dans ce temps-là, J.-F.! Tu peux me croire : ils se sont octroyé des pouvoirs extraordinaires, dans tous les sens du terme! De toute façon, Gentile et ses fédéraux ne nous chiperont probablement pas l'enquête; ils nous serviront simplement de soutien technique. Ils nous offriront, sans aucune obligation de notre part, les services de leur super ordinateur, de leurs psys, de leurs chiens-de-chasse-spécialisés-en-dépistage-et-récupération-de-meurtriers-en-série-psychopathes-ou-autres...! Tu vois, pas de problèmes! À propos, J.-F., avant que je l'oublie, le juge et le procureur...

— J'ai déjà demandé les informations que tu désires; je ne me trompe pas? Les deux ont été de «service» dans 152 procès criminels. Trois personnes s'affairent à éplucher les rapports pour essayer de trouver quelque chose là-dedans. Je leur ai demandé de n'omettre aucun détail : une relation quelconque avec notre affaire et ils nourriront l'ordinateur à la pelle.

— Super, J.-F.! Excuse-moi pour la p'tite crise de nerfs, tu as vraiment abattu tout un boulot et cela, avant même que j'aie eu à te demander quoi que ce soit.

— O.K., Denys, je sais très bien que c'est toi qui vas écoper. Comme tu viens juste de me le dire, le ministre de la Justice, ce Gentile et tout le bataclan... Je préfère de beaucoup chercher l'aiguille dans la botte de foin, tranquille, avec mon *staff*, dans la cour arrière, à l'ombre, que de me faire écorcher les oreilles par tout ce beau monde! Bonne chance.

— Merci, J.-F., mais garde la chance pour toi. Tu vas en avoir bien plus besoin que moi. En ce qui me concerne, si on ne me dérange pas trop, je vais faire des mots croisés... bien tranquillement. Tu me rapportes tout ce qui te semble intéressant, en personne, d'accord?

— D'accord *boss*! s'exclama J.-F. Caron d'un ton enjoué.

Malgré les ténèbres dans lesquelles ils évoluaient, il demeurait confiant de résoudre l'énigme, c'est-à-dire qu'il savait que s'il pouvait apporter un tout petit peu de lumière à son patron, celui-ci trouverait le sentier à suivre!

J.-F. Caron n'ignorait nullement ce que voulait dire son *boss* quand il parlait de mots croisés. Il s'y mettrait effectivement et avec brio : c'était un spécialiste! Et il s'y mettrait pendant son service, accoudé à son bureau, et personne ne le dérangerait! De toute façon, personne n'osait importuner Denys Paquin; ce n'était surtout pas une chose à faire! Cela, tout le monde le savait, du dernier agent recruté au directeur général, en passant par le personnel de bureau. Denys Paquin, l'ex-prof qui avait laissé tomber le monde de l'éducation, écœuré parce que l'ancienneté passait avant la compétence, désabusé par le fait que les basses flatteries et les accointances syndicales menaient sans ambages aux postes de direction où les élus s'occupaient exclusivement à cultiver le «principe de Peter» et où les étudiants ne faisaient figure que de mauvaises graines. Étant donné qu'ils ne pouvaient les éliminer définitivement et complètement — ces chers élèves —, ils ne ménageaient aucun effort pour les circonscrire et les isoler du reste du monde! L'incompétence et la bêtise érigées en système pour bâtir l'avenir de la jeunesse et, par conséquent, celui de la nation!

Denys Paquin, le bleu plus tout à fait vert, avait exigé, et obtenu, de faire partie de la criminelle dès son arrivée. Denys Paquin, l'agent opposé à l'image de la violence, qui avait pourtant failli décapiter quelques criminels particulièrement ignobles. La direction l'avait très tôt nommé caporal, puis sergent, puis lieutenant. Ceux «d'en haut » avaient vite reconnu son flair extraordinaire, son infaillible intuition, sa pensée rigoureuse et surtout son implacable logique, une logique presque terrifiante! Et de plus, en le nommant à un poste d'officier supérieur, ils s'assuraient que Denys Paquin ne serait plus en contact direct avec les criminels. De cette façon, ils mettaient à profit ses indéniables qualités d'enquêteur sans prendre le risque qu'un jour il ne tue quelqu'un! Ainsi, les gens de l'entourage de Denys Paquin le vénéraient littéralement et ils le craignaient également... un peu... beaucoup! Un seul de ses regards de braise vous clouait sur place ou vous donnait une irrésistible envie de vous réfugier en Antarctique! Même avant qu'il soit nommé officier et qu'on le connaisse dans «le milieu», il arrivait souvent que des criminels endurcis exigent la présence d'un avocat ou d'une tierce personne pour être interrogés ou, pis, qu'ils refusent tout simplement qu'on les laisse seuls avec lui! Le lieutenant Paquin travaillait en solitaire dans son bureau et, depuis fort longtemps, personne n'entrait en contact direct avec lui, sauf le sergent J.-F. Caron, son second et son seul ami; il ne mettait à peu près jamais les pieds dehors. Le sergent J.-F. Caron lui servait d'yeux, d'oreilles, de bouche, de bras et de pieds!

Même si le ministre de la Justice en personne se présentait au bureau de Paquin et qu'il voyait le lieutenant en train de faire ses mots croisés, il ne lui en tiendrait pas rigueur! Tous ceux qui connaissaient un tant soit peu Denys Paquin savaient très bien que c'était là sa manière de réfléchir et sa méthode pour tisser un réseau de possibilités. Chaque mot, chaque définition pouvait servir à déclencher le processus : la racine d'où l'arbre de probabilités prendrait naissance et sortirait de terre...

Toutes les définitions «standard» des mots croisés : «Un arbrisseau d'Arabie», «une défaite de Napoléon», «le constructeur de l'Éole» ou «mascarade»..., tout et rien pouvait enclencher le mécanisme de sa pensée structurée et de sa logique terrifiante! Ses étudiants — il avait enseigné les mathématiques avant d'entrer dans les «ordres» — le surnommaient plus ou moins affectueusement Spock!

Denys Paquin sortit quelques livrets de mots croisés d'un tiroir de son bureau. Il les posa devant lui, hésitant à en choisir un : noms communs, noms propres, facile, difficile? Avant d'arrêter son choix, il décrocha le téléphone :

— Bernard... Denys... pas d'appels, pas de visiteurs, sauf J.-F. Caron, Jim Gentile et le ministre de la Justice. Compris? et il reposa lentement le combiné.

... «Labiée à fleurs jaunes» : IVETTE.

Ainsi, «sa meurtrière» s'appelait Anna Bourré. Il n'aurait certainement pas su dire pourquoi, mais il était persuadé que la «dame au sexe sanguinaire» utilisait son vrai nom! Les messages qu'elle avait laissés prouvaient qu'elle poursuivait un seul et unique but : la vengeance. Cette femme servait une cause, on lui avait confié une mission... à elle, à elle seule, et elle mènerait à bien cette mission divine. Elle se foutait éperdument d'être capturée, identifiée, de voir sa photo paraître dans tous les journaux et sur tous les écrans de télévision de la planète, une fois sa mission accomplie, mais pas avant; d'où le soin qu'elle mettait à se déguiser et à effacer tous les indices. Tous, sauf les cheveux! Mais elle ne le faisait sûrement pas exprès : chaque être humain perd des centaines de cheveux chaque jour et ne voit que très peu de ceux-ci! Il aperçoit seulement ceux qui sont dans le lavabo de la salle de bains, qui sont restés sur la brosse à cheveux, sur les vêtements, mais pas ceux qui sont accrochés dans les fils d'un tapis, tombés dans la poubelle, coincés dans un dossier de fauteuil, pris dans un ventilateur... Ceux-là, seuls les spécialistes de la criminelle les retrouvaient. De toute manière, pour eux, «chercher une aiguille dans une botte de foin» ne représentait même pas un défi à relever ou un exploit à accomplir : ils réussissaient beaucoup plus difficile que cela!

Pour le moment, en attendant d'autres renseignements venant de J.-F. ou de sources inespérées, il devrait composer avec ce qu'il possédait déjà comme informations : une très belle jeune femme blonde, vingt-huit à trente-cinq ans, sculpturale, aimant assassiner froidement, cruellement, sauvagement des gens appartenant au monde de la justice. Froide, cruelle, sanguinaire... un juge, un procureur... pourquoi? À cause d'eux, avait-elle raté une carrière? Se vengeait-elle d'une condamnation injustifiée? Le faisait-elle par plaisir?

Les messages, les messages étaient vraiment les seuls indices valables dont il disposait pour l'instant. Il sentait que «la dame de sang» ne poursuivait qu'un seul but : se venger.

Premier message : «TU N'AS RIEN ENTENDU»... et elle aurait pu ajouter MONSIEUR LE JUGE!

Deuxième message : «TU N'AS RIEN DIT»... et elle aurait pu ajouter MONSIEUR LE PROCUREUR!

Ainsi donc, «Anna la Sanguinaire» se vengeait, fort probablement, des gens qui l'avaient injustement condamnée. Sa liste comprenait-elle d'autres noms?

Denys revint à sa grille :

Singe d'Amérique du Sud aux longs membres : ATÈLE.

Cette dernière trouvaille lui donnait deux L au numéro 4 vertical et, en tout : M _ _ D _ _ LL. Il inscrivit machinalement la solution : «MANDRILL». Ce mot qui revenait assez souvent dans les grilles de mots croisés le faisait toujours sourire, car il ne pouvait s'empêcher de traduire la première syllabe et de garder l'autre intacte. Cela donnait HOMME-DRILL et le DRILL était également un singe de la famille des cynocéphales. Cela faisait donc dans sa tête HOMME-SINGE et il s'imaginait toujours une sorte de Tarzan beaucoup plus près du primate que de Johnny Weissmuller. Et la chose, anodine, le faisait rigoler intérieurement. La rigolade cessa brusquement : HOMME-SINGE, les messages!

— Bien sûr, espèce de crétin, dit-il à haute voix, en s'accablant d'invectives.

Les messages ne pouvaient se montrer plus explicites, ils rayonnaient de clarté! Les trois petits singes du fabliau : «*SEE NO EVIL, HEAR NO EVIL, SPEAK NO EVIL!*» La comptine, mais au passé : «TU N'AS RIEN ENTENDU, TU N'AS RIEN DIT»... et le prochain serait : «TU N'AS RIEN VU»!

Donc Anna, sûrement, commettrait au moins un autre meurtre pour compléter sa collection personnelle de petits singes! Et si elle se vengeait, ce dont il était maintenant persuadé, ce n'était pas à la suite d'un procès au cours duquel elle avait été accusée et reconnue coupable injustement, mais plutôt d'une décision de la Cour qui ne lui avait pas rendu justice. Elle n'avait pas été l'accusée, mais l'accusatrice, et elle avait été déboutée! Il fallait donc qu'il contacte J.-F. Caron immédiatement afin que celui-ci aiguille son équipe de chercheurs dans une autre direction : découvrir dans les 152 procès auxquels participèrent le juge Édouard et le procureur Riopel une femme qui avait porté plainte pour... et perdu son procès. Porté une plainte pour...? Agression sexuelle!

«Nom de Dieu, je deviens gaga!» pensa le lieutenant Paquin.

Évidemment, il ne pouvait s'agir que d'agression sexuelle, d'où la sanglante vengeance exercée pour et par le sexe! Denys Paquin décrocha le téléphone, dans un état d'excitation nerveuse frisant l'affolement — loin, très loin de sa froideur habituelle.

— Bernard, trouvez-moi le sergent Caron et dites-lui de se présenter à mon bureau toutes affaires cessantes.

Le lieutenant Paquin s'enfonça dans son fauteuil pivotant, les mains derrière la nuque, respirant profondément pour bien oxygéner son cerveau et reprendre son calme. Il devait trouver cette Anna. Qui voulait-elle encore assassiner, où, quand? Comment allait-il sortir de ce merdier? Comment allait-il empêcher le prochain bain de sang? Il aurait besoin d'aide, de beaucoup d'aide! Et de chance, de beaucoup de chance!

Pendant ce temps, à quelques kilomètres de là.

— Monsieur Gentile, dites-vous... soyez gentille de me le passer, Mademoiselle Lincourt.

— Monsieur Gentile, vous êtes à Québec? Je ne peux rien vous dire au téléphone, mais si vous voulez bien passer à mon bureau, je vous y attendrai et nous pourrons rencontrer le lieutenant Paquin, le responsable de l'enquête. Je le convoque pour une réunion à trois ici, immédiatement... Bien, à tantôt.

Le ministre de la Justice, l'honorable Ernest Robillard, enfonça quelques touches de son appareil téléphonique.

— Veuillez contacter le lieutenant Denys Paquin et convoquez-le à mon bureau pour 13 heures 30, sans faute. Merci, Mademoiselle Lincourt. Vous me rappellerez dès que vous en aurez la confirmation.

— Lieutenant Denys Paquin? Le ministre Robillard désire vous rencontrer à son bureau à 13 heures 30. C'est extrêmement important et...

— D'accord, Mademoiselle, d'accord. Dites-lui bien que j'y serai à 13 heures.

Le lieutenant Paquin raccrocha, se leva lentement, enfila son veston et son imperméable. La vraie chasse commençait!

* * *

Trois hommes se tenaient au garde-à-vous dans le vaste bureau du ministre de la Justice, attendant en silence que le serveur qui avait apporté le café se retire. C'étaient Ernest Robillard, le ministre de la Justice en personne; Jim Gentile, le cerveau inquisiteur, qui régnait sur les services spéciaux de la police fédérale et s'occupait des cas mettant en cause des criminels psychopathes, sociopathes, etc.; et le lieutenant Denys Paquin. Ce dernier aurait pu se sentir bien petit en présence de ces deux potentats de la justice, mais ce n'était pas le cas. Et ceux-ci ne manifestaient pas la moindre intention de le traiter de haut. Denys Paquin représentait beaucoup trop pour cela: c'était un homme d'une intégrité absolue et d'une redoutable efficacité!

Les présentations ne traînèrent pas en longueur; le strict minimum!

— Lieutenant Paquin, voulez-vous nous exposer succinctement les faits. J'entends par là les éléments significatifs que vous avez en main concernant cette enquête. Les événements, nous les connaissons tous deux, M. Gentile et moi.

37

Le ministre Robillard s'était exprimé posément, brièvement. Il n'avait pas affaire à des écoliers et se comportait donc en conséquence.

— Les résultats des analyses nous ont appris que les deux assassinats ont été perpétrés par la même personne et ladite personne est sans aucun doute une femme. La première victime, le juge Édouard, a été aperçue dans le hall de l'hôtel avec une magnifique jeune femme rousse et la deuxième victime, Me Jules Riopel, a été retrouvée morte dans l'appartement loué l'avant-veille par une superbe métisse au début de la trentaine. Ne vous méprenez pas sur les descriptions des témoins, qui ne semblent pas du tout dépeindre la même personne. Nos enquêteurs ont trouvé des cheveux roux et des cheveux blonds sur les lieux du premier meurtre, et des noirs et des blonds dans l'appartement où fut commis le deuxième. Les cheveux blonds appartiennent avec certitude à la même personne. Je le répète : les résultats des analyses sont formels. Cette jeune femme a exécuté les deux hommes avec préméditation et son mobile est très clair : la vengeance.

Le ministre et Gentile, pour la première fois depuis le début de l'exposé du lieutenant Paquin, montrèrent quelques signes d'intérêt, doublés d'une certaine agitation retenue mais perceptible. Avant même que Jim Gentile ait posé la question qui lui triturait la cervelle et lui pendait aux lèvres, Denys Paquin y répondit :

— La dame a laissé deux messages, vous les connaissez très certainement, ce qui ne laisse aucun doute dans mon esprit quant à la raison qui la pousse à agir ainsi : justice ne lui ayant pas été rendue pour une agression sexuelle dont elle avait été victime. L'un, le juge Jean Édouard, n'a pas ENTENDU sa cause correctement ou comme elle aurait voulu qu'il l'entende; l'autre, le procureur Riopel, n'a pas DIT ce qu'il aurait dû dire ou, encore une fois, ce qu'elle aurait désiré qu'il dise. Les deux, le juge et le procureur, ont été désignés d'office dans 152 procès criminels. J'ai chargé mon bras droit, le sergent J.-F. Caron, de compulser toutes les transcriptions pour trouver celles dans lesquelles des femmes ou une femme auraient été déboutées lors d'un procès pour agression sexuelle, viol, attentat à la pudeur, etc. J'attends les résultats; je crois que nous devrions assez facilement trouver notre criminelle dans le tas. Mais notre vrai problème ne se situe pas là : nous devons découvrir sa réelle identité et la retrouver avant qu'elle frappe une troisième fois, car elle exécutera une troisième personne, j'en suis convaincu!

Cette fois, MM. Gentile et Robillard ne restèrent pas cois :

— D'où vous vient cette certitude, Denys? cria presque le ministre Robillard, les «monsieur» et les «lieutenant Paquin» cédant le pas à une évidente excitation!

— *Holy shit*, Paquin, expliquez-moi tout de suite! Je comprends parfaitement votre logique et j'embrasse, dans les deux sens du terme, votre hypothèse pour les deux premiers meurtres. Vengeance pour et par le sexe, fabuleux comme trouvaille! Mais comment pouvez-vous être sûr qu'elle en commettra un troisième?

— Les messages, messieurs... Vous connaissez sûrement aussi bien que moi les trois petits singes : «*SPEAK NO EVIL, SEE NO EVIL, HEAR NO EVIL*». Elle les a simplement transposés au passé : «TU N'AS RIEN ENTENDU, TU N'AS RIEN DIT»... il nous reste donc «TU N'AS RIEN VU»! Une troisième personne a été impliquée dans cette affaire : un témoin oculaire. Et il n'a pas aidé sa cause, lui non plus. C'est cet homme qui sera le prochain à tomber sous ses coups, à subir ses foudres. À moins que nous ne la découvrions avant...

— Prodigieux, Paquin! s'écrièrent en chœur Gentile et Robillard, mais ils reprirent prestement leur style et leur attitude conventionnels.

— Lieutenant Paquin, je vous offre tout le soutien technique dont vous pourriez avoir besoin : personnel, ordinateurs, laboratoires, etc. Demandez, vous recevrez. Et aucun membre de mon service, moi compris, ne s'immiscera dans votre enquête. Il n'est surtout pas question qu'un grain de sable inopportun vienne enrayer les engrenages de votre cerveau! N'hésitez donc pas à recourir à notre aide quand bon vous semblera. Je vous donne un numéro de téléphone sur la ligne «NOIRE 13» : priorité absolue. Je garde toujours ce téléphone cellulaire avec moi.

Et Jim Gentile le retira de sa mallette en finissant sa phrase.

— Je vous donnerai dans quelques secondes un numéro de ce type, monsieur le ministre. Vous pouvez vous en servir en tout temps. Continuez dans cette voie, lieutenant Paquin, vous m'éblouissez littéralement. Vous l'aurez, cette... certainement!

6 août 1995

Mère Alexandra accrocha à sa poignée de porte, tout comme on le fait à l'hôtel, l'écriteau «NE PAS DÉRANGER». Cette interdiction était valable pour toutes les religieuses du couvent, dans tous les cas, sauf pour Anna. Une fois assise à son bureau, la supérieure appuya sur le bouton «COMMU-NICATIONS INTERNES» de l'interphone qui la reliait à la réception :

— Sœur Aline, vous ne me passez aucune communication, fût-ce le Saint-Père lui-même. Notez simplement les messages et glissez-les sous ma porte à 17 heures 30. Par la même occasion, vous prendrez ma salade de légumes à la cuisine et me la laisserez sur le pas de la porte. Bonne fin de journée, sœur Aline. Merci.

Mère Alexandra se dressa ensuite de tout son mètre quatre-vingt-quatre, enleva son accoutrement de nonne et ne garda qu'un justaucorps blanc crème qui moulait parfaitement son corps d'athlète. Elle avait conservé, ou presque, la fermeté et les formes de son physique de nageuse olympique; vingt-cinq ans déjà! Elle jeta un coup d'œil aux médailles, une d'argent et une d'or, pendant au cou de la madone qui trônait sur le dessus d'une section de sa bibliothèque; vingt-cinq ans déjà! L'action lui manquait, la foule, les admirateurs, les applaudissements lui manquaient. L'inaction lui pesait. La présence de beaux mâles en pâmoison lui faisait également défaut! Seule dans l'immense froideur de ce couvent, seule avec toutes ces femelles frustrées et frustrantes! Et tout cela à cause de ce salaud de Mats Samuelson. Les illusions brisées, les espoirs trompés, l'amour trahi et ce bébé... de trop! Ce bébé qu'elle n'avait pu mener à terme. Tout n'est qu'illusion! Elle balaya de son esprit les chimères et les fantômes qui l'envahissaient et cinquante minutes d'exercices épuisants plus tard, elle revint à son colossal bureau en chêne et s'y appuya, vidée. Elle se dirigea lentement vers la salle de bains attenante à sa chambre à coucher, y prit une douche brûlante suivie d'une glacée puis, à sa sortie, se posta une minute face à la grande fenêtre qui laissait entrer une brise tiède. Elle enfila ensuite un justaucorps vert pomme et un survêtement de la même teinte. Revenant à son bureau, elle ouvrit le tiroir du bas à gauche et en sortit une bouteille à demi pleine de scotch whisky de marque Red Grouse. En se versant une bonne rasade du liquide brun doré, elle songea :

— Pourquoi dit-on du scotch whisky? Le seul whisky digne de ce nom, c'est en Écosse qu'on le distille, point.

Une douce chaleur envahit son corps, l'exercice et le whisky jouant bien leur rôle; au travail maintenant. Celui qui la stimulait le plus : le cas Anna Guay, arrivée au couvent il y avait huit ans et deux mois. Maintenant mère Alexandra avait monté un dossier fort intéressant sur Anna. Des dossiers, plutôt simples et surtout moins intéressants, concernant toutes les religieuses sous sa gouverne, c'était le seul qui lui permettait de mettre en application les théories qu'elle avait étudiées à la faculté de psychologie de UCLA. Des notions plutôt minces, car elle avait consacré beaucoup plus de temps à la natation et au flirt qu'au travail à la bibliothèque! Le dossier montrait, en page frontispice :

— Nom, prénom : Guay, Anna.

— Date de naissance : 7 janvier 1965.

— Date d'arrivée : 6 juin 1985.

— Famille : Mère décédée le 20 décembre 1967 (accouchement).

— Père décédé le 26 avril 1985 (cirrhose du foie).

— 2 frères aînés (jumeaux). L'un, décédé le 26 avril 1985 (accident d'auto aux USA), et l'autre, en prison pour viol.

— Frère cadet né le 20 décembre 1967; Anna séparée de lui en février 1981.

— Scolarité : cours secondaire achevé, études collégiales de droit non terminées.

— Expérience(s) : Serveuse? Pompiste? Secrétaire juridique? Call-girl?

— Notes : Tiré d'Anna : faits mentionnés ci-haut authentiques.

— Appris d'autres sources : a été renvoyée du collège Xavier; a presque tué, à coups de chaise, un étudiant qui l'avait «agressée» sexuellement. Démenti par l'étudiant : Anna ne portait aucune marque! A intenté un procès à son père et à ses frères aînés pour viol. Ceux-ci ont été acquittés, faute de preuves suffisantes, en février 1981. A quand même été placée (DPJ) en famille d'accueil et son jeune frère dans une autre famille!

— Appris ici : crises d'hystérie mensuelles et menstruelles tous les 28 jours, juste avant ses menstruations. Prophéties rigoureusement exactes sur les affaires de la communauté. A guéri plusieurs religieuses de maladies plus ou moins graves : de l'allergie aux produits laitiers de sœur Lucie au rhume des foins de sœur Agathe en passant par le psoriasis de sœur Sophie et les ulcères de sœur Aline...

En dehors de quelques détails historiques, les seules informations que possédait mère Alexandra au sujet d'Anna Guay provenaient de la bouche d'Anna Guay elle-même, du peu qu'elle avait déclaré à son arrivée et des élucubrations qu'elle proférait parfois après ses crises, après les torrents de sang, après les guérisons. Lors de son «apparition» au monastère, elle ne l'avait que très brièvement interrogée et, vu l'état lamentable de la jeune femme, que superficiellement. En effet, Anna s'était présentée à la porte du couvent dans une condition physique et un état mental affligeants : blanche comme un linceul, maigre comme un fouet, le visage creusé de ravines, les yeux fous et ne pouvant que répéter :

«Aidez-moi, je vous en prie. Aidez-moi, je vous en prie. Aidez-moi...»

Avec tout son avoir dans une petite valise à main en carton datant du XIXe siècle et portant des vêtements qui avaient probablement été tissés à la même époque, quelle pauvre loque elle faisait! Et mère Alexandra l'avait évidemment recueillie! L'avait accueillie et hébergée, loin des regards indiscrets, dans le logement du vieux Clovis, dans l'aile ouest. Les seules précautions qu'elle avait prises avaient été d'appeler un médecin, afin de s'assurer que sa «visiteuse» n'était pas plus mal en point qu'elle ne le paraissait, et la police, pour se rassurer elle-même. Les policiers s'étaient présentés, avaient pris les empreintes et des photos pendant qu'Anna, grâce aux bons soins du médecin, dormait comme une morte dans son suaire. Quelques jours plus tard, ils étaient revenus en rapportant photos et empreintes. Mère Alexandra pouvait en faire ce qu'elle voulait, eux n'avaient pas le droit de conserver un dossier sur une personne qui n'avait commis aucun crime. C'était la loi! Ils avaient également fourni à mère Alexandra les renseignements qu'elle désirait. Mlle Anna Guay ne possédait pas de dossier criminel; pas la moindre petite infraction : pas de vols à l'étalage, pas de racolage, pas de désordres sur la voie publique. De cela, mère Alexandra se souciait comme de sa première communion! Elle avait toutefois voulu savoir si sa pensionnaire n'avait pas eu de problèmes sérieux : vols à main armée, usage ou trafic de stupéfiants, coups et blessures... Rien de tout cela, parfait! Le reste, mère Alexandra pouvait s'en occuper : elle avait vu neiger avant ce jour-là!

Depuis ce temps, Anna Guay occupait le logement du père Clovis dans l'aile ouest, seule. Elle s'était fort bien rétablie :

du repos, une saine alimentation et la tranquillité... surtout la quiétude et... la malingre, la quasi-mourante Anna était devenue (ou redevenue?) la superbe Anna, un corps de déesse, non pas d'athlète comme mère Alexandra. Ses chairs étaient moins dures, plus souples et plus dodues. Des pièces de choix, plus arrondies, plus pleines : un physique qu'aiment les hommes. Anna s'était également intégrée assez rapidement au groupe; elle avait demandé à revêtir le costume de novice et à accomplir une tâche habituellement dévolue à une sœur converse, en fait à plusieurs d'entre elles depuis la mort du vieux Clovis : s'occuper du jardin sis à l'extrémité ouest du terrain du couvent.

Elle aimait les plantes, s'y connaissait assez bien en jardinage, et la communauté n'aurait pas à le regretter, leur avait-elle dit. Et, de fait, loin de s'en plaindre, toutes les religieuses de la communauté en étaient satisfaites. Mère Alexandra avait donc décidé de garder Anna et de lui attribuer en permanence le logement de l'aile ouest. Aucune des religieuses n'en fut lésée, car Anna ne faisait pas réellement partie de la communauté. Elle veillait sur le potager et les fleurs comme personne ici n'aurait pu le faire et, très tôt, elles se mirent toutes à adorer leur petite Anna, tellement elle était tendre et chaleureuse! Mais surtout, surtout, cet éloignement et cet isolement s'étaient révélés absolument nécessaires lorsqu'Anna entrait en crise, ces affreuses crises précédées de ces horribles et insupportables hurlements de terreur, de douleur? La première — seule mère Alexandra en avait remarqué la cause — s'était produite six ans et quelques mois après son arrivée au couvent, lors de la visite d'un neveu du vieux Clovis. Celui-ci était venu, avec la permission de la mère supérieure, prendre quelques souvenirs ayant appartenu à son oncle : des photographies, deux ou trois menus outils et quelques sculptures travaillées au canif par le vieux. Le jeune homme était entré dans le logement de son vieil oncle sans frapper — sans savoir qu'une religieuse l'habitait, mère Alexandra ayant omis de l'en avertir — et il aperçut Anna figée d'appréhension, saisie d'épouvante. Voulant rassurer la jeune femme, il posa doucement ses mains sur les épaules d'Anna. La réaction de celle-ci fut stupéfiante : des cris à défoncer les tympans et à vous déchirer l'âme, des hurlements de terreur à faire craquer pierres et nerfs. Tout le couvent était accouru à l'aile ouest : ce jeune voyou était en train d'agresser sœur Anna, de la violenter, de la violer ! Espèce de salaud ! En plein couvent, en plein jour, en présence d'une trentaine de religieuses ! Mère Alexandra était entrée comme une ninja, prête à frapper pour tuer ! Le jeune François, c'était le nom du neveu du père Clovis, se tenait debout près de la porte, figé comme un Hermès de marbre, les bras encore tendus, les yeux hallucinés, muet d'affolement, pendant qu'Anna, elle aussi debout, exprimait, de façon très audible, son incompréhensible terreur ! Mère Alexandra saisit François par les épaules, le repoussa dans le corridor et cria :

— Emmenez-le dans le jardin, gardez-le là à six, dix, vingt et qu'on appelle la police, tout de suite !

Puis elle posa ses mains doucement, tout doucement, sur les joues d'Anna :

— Anna, Anna, c'est moi, mère Alexandra. Ne crains rien, n'aie plus peur. Nous sommes toutes avec toi et ton agresseur est dehors, sous bonne garde. Calme-toi... calme-toi... Rien de grave ne t'est arrivé.

Les cris cessèrent, mais Anna, de toute évidence, n'avait rien entendu et ne voyait rien ! Elle fixait un point en haut, quelque part à l'infini. Elle ne hurlait plus, mais l'intervention de mère Alexandra n'y était pour rien ! La mère supérieure l'avait étendue sur son lit et s'était assise auprès d'elle, attendant le médecin avec impatience. Elle ne craignait cependant pas pour son intégrité physique : Anna n'avait visiblement pas été touchée. Les parties découvertes de son corps ne portaient aucune marque et ses vêtements n'étaient pas déchirés, pas même froissés !

Puis la phase deux commença, encore plus terrible que la première : le sang traversait les habits d'Anna étendue, sans vie apparente. Tout autour de son ventre, ses vêtements s'étaient imbibés de l'épais liquide rouge sombre. Mère Alexandra, assistée de sœur Lucie et de sœur Agathe, avait très lestement dévêtu Anna et avait pu constater, la surprise s'alliant à l'horreur, que le sang continuait de couler à flots de son vagin. Elle allait mourir! Et ce médecin de malheur qui n'arrivait point! Lorsqu'il surgit enfin, les épouvantables écoulements avaient cessé. Constatant l'ampleur des dégâts, il pria les religieuses de la laver puis de lui mettre des compresses de glace concassée sur le front, les épaules et l'abdomen. Après un minutieux et interminable examen, il enleva la glace, recouvrit la jeune patiente de chaudes couvertures et prononça son verdict :

— Apparemment rien d'anormal.

— Comment, rien d'anormal? Ça va pas la tête, doc? s'écria mère Alexandra, usant d'un langage qu'on ne lui connaissait pas en ces lieux!

— Rien de physiquement anormal, je voulais dire, mère Alexandra. Elle n'a subi aucune lésion, elle ne montre aucun signe d'hémorragie interne, ses organes vitaux fonctionnent normalement. Sa température s'est légèrement élevée et son rythme cardiaque, surprise, est un peu lent. Cela ressemble beaucoup à une grave crise d'hystérie. S'est-il produit quelque chose d'anormal, d'extraordinaire, dans sa vie, récemment? Un événement très perturbateur pour elle?

— Oui. Venez à mon bureau s'il vous plaît, docteur Allard. Sœur Agathe, restez auprès d'Anna. Sœur Lucie, vous prendrez la relève dans une heure. Ne la laissez pas seule, même pas une seconde, sous aucun prétexte. Si la situation change de quelque façon, avertissez-nous, mais sans la quitter; utilisez l'interphone, une cloche, faites comme vous voudrez, mais ne la laissez pas sans surveillance un seul instant. Compris?

Et le Dr Allard accompagna mère Alexandra jusqu'à son bureau. Il la quitta au bout d'une petite heure en lui laissant des instructions et une ordonnance de médicaments. Les agents de police Breault et Léonard le remplacèrent dans le bureau de la supérieure. Leur rapport était simple, bref et limpide : le jeune Lacasse (François) n'avait très certainement pas agressé sœur Anna. Il était complètement traumatisé et il avait tout raconté, du moins le peu qu'il y avait à raconter. Il était entré sans frapper, sœur Anna semblait apeurée, il l'avait saisie aux épaules pour la rassurer, elle s'était mise à hurler et les autres étaient intervenues. Si mère Alexandra voulait porter plainte, ils l'enregistreraient, ils emmèneraient le jeune homme au poste de police et suivraient la procédure normale. Sinon, bonjour ! L'affaire était close ! La supérieure n'avait pas donné suite à l'affaire : François Lacasse n'était sûrement coupable de rien.

Et le lendemain matin, mère Alexandra s'en souvenait très bien, sœur Agathe et Anna s'étaient présentées à son bureau très tôt, avant le petit déjeuner.

— Mais Anna, que faites-vous ici, debout? Allez vous recoucher immédiatement. Je veillerai à ce que l'on vous serve votre petit déjeuner au lit. Et vous, sœur Agathe? s'exclama la supérieure du couvent, visiblement furieuse.

— Ne la sermonnez pas, ma mère, c'est moi qui ai insisté pour venir vous voir. Je me sens très bien, vraiment en grande forme, comme si j'avais dormi deux jours. Et sœur Agathe veut vous dire, vous montrer quelque chose d'important.

— Je...

Sœur Agathe interrompit mère Alexandra :

— Regardez, mère ! Mon rhume des foins perpétuel, les écoulements nasaux, les éternuements, les rougeurs... tout est guéri ! Hier, quelques minutes après votre départ, Anna a ordonné, le ton ne laissait aucun doute, que l'on me conduise à elle. Comme je me trouvais déjà auprès d'elle, je trouvai sa requête curieuse et lui répondis, comprenant qu'elle ne me voyait pas, qu'elle parlait comme sous hypnose, que je lui tenais les mains, que c'était moi, sœur Agathe. Anna m'a flatté les mains quelques minutes puis elle s'est lourdement endormie. Ce matin, dès son réveil, elle a demandé à sœur Lucie, qui l'avait veillée, d'aller me quérir. Et nous voilà ! Elle savait qu'elle m'avait guérie même si, apparemment, elle n'en avait pas eu conscience !

Mère Alexandra les toisa toutes deux, perplexe ; les miracles, elle n'y croyait pas ! La guérison incontestable de sœur Agathe : une coïncidence, sans plus ! Son allergie nerveuse avait sans doute été guérie par l'expérience traumatisante qu'elle avait vécue à cause de l'attaque d'Anna.

— Bien. Sœur Agathe... vous serez examinée, dès aujourd'hui, par le Dr Fox. Anna, je préférerais que vous retourniez dans votre chambre ; je vous apporterai moi-même votre petit déjeuner. Puis, si vous en avez la force et le désir, nous parlerons un peu. Cela vous va, toutes les deux ?

— Oui, ma mère, répondit sœur Agathe.

Anna hocha simplement la tête et se retira.

1er *septembre 1995*

Julien Adam s'installa sur un tabouret au bar de l'hôtel Victoria : son point d'eau préféré. Il n'eut pas à ouvrir la bouche ni même à faire un signe pour que le barman lui apporte un double Southern Comfort et une bière très froide.

— Toujours la grande forme, monsieur Adam?

— Super, Joss. Tout baigne dans l'huile.

Julien Adam, sergent de police de la brigade criminelle, divorcé, sans enfants, n'apportait pas beaucoup de variantes à son train-train quotidien. Une fois le boulot terminé, il prenait son repas de fin de journée dans un de ses trois restaurants de prédilection puis, après une longue marche «pour digérer tout ça», allait prendre un double alcool et quelques bières froides au bar Le 7 de l'hôtel Victoria. Il affectionnait particulièrement cet endroit. Tout correspondait à ses goûts : le mobilier et la décoration en bois — il détestait souverainememt le plastique, le métal, etc. — la musique — Joss, de son vrai nom Jocelyn Rivest, enregistrait chez lui des bandes magnétiques de musique de jazz, de blues, de soft rock qu'il faisait jouer dans le bar — l'ambiance — des gens entre trente et quarante ans fréquentaient l'endroit et, liés par un accord tacite, ne parlaient jamais de leur travail. Julien Adam venait au 7 régulièrement depuis plus de trois ans et jamais, au grand jamais, personne ne l'avait questionné sur son boulot. Heureusement, car il détestait cela autant que les matériaux synthétiques et les snobinardes : une autre espèce qu'il rencontrait rarement ici dans ce bar. Après ses quelques consommations «standards», si le temps le permettait, il rentrait dans son petit mais confortable appartement et y écoutait de la musique en lisant un roman ou regardait la fin d'un match de hockey. S'il pleuvait ou neigeait ou gelait à pierre fendre, il retournait au poste de police, y prenait les clés de son auto et rentrait chez lui. Parfois, rarement, lorsqu'il avait largement dépassé le «point zéro huit», un agent conduisait sa voiture pendant qu'un autre policier les suivait dans une auto de patrouille.

Il rencontrait quelquefois des amis de bar avec qui il discutait de choses et d'autres : de sports, de politique, mais jamais du travail. De toute façon, hormis le barman Joss, muet comme une tombe, très peu de gens savaient qu'il était flic. Il ne travaillait plus en uniforme depuis six ans déjà et il évitait le plus possible d'être photographié. Feuilletant un journal du matin, il se rendit compte, sans regarder, que quelqu'un s'assoyait près de lui. Il tourna les yeux de ce côté sans toutefois bouger la tête; à ce moment-là, la tête lui pivota presque : une superbe créature blonde dotée d'une figure angélique et d'une généreuse poitrine — son décolleté plongeant en laissait voir une bonne partie — avait pris place près de lui, plus précisément sur le deuxième tabouret à sa droite. Il leva les yeux de son journal, le replia négligemment et, feignant d'ignorer l'arrivée de la jeune femme, s'étira longuement. Semblant toujours se détendre les muscles du dos, des épaules et du cou, il tourna lentement la tête vers la droite :

— Oh! excusez-moi, mademoiselle! Je me croyais vraiment seul au monde! Et toi, Joss, tu n'aurais pas pu me faire savoir que cette jeune dame venait de prendre place près de moi? J'aurais pu la frapper en m'étirant et...

— Mademoiselle vient tout juste de s'asseoir, Julien, et je croyais que tu t'en étais aperçu avec ton flair légendaire!

Julien Adam lança un regard glacial au malheureux barman qui, pourtant, ne gaffait pas souvent. Il avait presque enfreint la loi du silence : personne ne devait connaître sa profession et encore moins ici! La jeune femme, sentant elle aussi la colère du policier et la gêne du serveur, «sauva les meubles» :

— Détendez-vous, messieurs, personne n'a fait quoi que ce soit de mal et je n'irai pas porter plainte à la police, sergent Adam.

— ... Vous... vous me connaissez..., mademoiselle? Je veux dire... vous savez mon nom et mon... ma profession...

— Eh oui, sergent Adam, vous avez participé à quelques enquêtes qui ont fait la manchette et je me suis souvenue de vous. Vous êtes très photogénique, bien que vos photos ne soient pas légion. De toute manière, ne vous inquiétez surtout pas, je n'ai nullement l'intention de vous entretenir de votre métier. Personnellement, je déteste parler de mon job en dehors des heures de travail et je suppose que c'est la même chose pour beaucoup de gens, surtout vous, à ce que je peux voir. Mais si vous désirez vous entretenir avec moi de tout autre sujet, ce dont je doute fort maintenant que j'ai péché, vous serez le bienvenu! lui lança la jeune femme, de son sourire coquin qui le narguait ouvertement.

— Bien... je ne peux nier pour le travail et je vous remercie... pour, pour les photos, cela s'entend. Mais s'il vous plaît, mademoiselle, ne m'appelez plus sergent Adam, surtout ici. Julien conviendra tout à fait et je serai très heureux de jaser avec vous de tout ce que vous voudrez, sauf...

— Tout à fait d'accord, Julien. Mon nom est Anna. Copain, copain? Je vous offre la deuxième tournée et à vous aussi, Joss, d'accord?

— Ça me va. Merci, Anna.

— C'est gentil, mademoiselle Anna, mais je ne peux accepter de consommations offertes par des clients.

Merci tout de même. Joss servit ses clients : un deuxième Southern Comfort double accompagné d'une bière glacée pour

Julien Adam et un Bloody Mary pour Mlle Anna. Les deux copains de bar s'entretinrent de tout et de rien, surtout de rien, le sergent Adam de même qu'Anna, évitant soigneusement de parler de leur métier et de tout ce qui pouvait s'en approcher. Elle avait simplement mentionné, en passant, qu'elle préparait sa thèse de doctorat en criminologie. Leurs deux occupations se chevauchant plus ou moins, ils les tinrent tous deux éloignées de la conversation. Julien Adam n'essaya pas non plus d'introduire le sport comme sujet de causerie : les femmes s'y intéressaient rarement. Ils glissèrent tout doucement, en passant par le cinéma, sur le thème des relations personnelles ou, plus spécifiquement, des rapports hommes-femmes. Adam avait toutes les misères du monde à ne pas courtiser sa séduisante voisine ouvertement, sans plus de préambules, de détours et de méandres oiseux !

En outre, il ne pouvait absolument pas détourner les yeux des somptueuses formes de la jeune femme et celle-ci en était parfaitement consciente : plus le sergent essayait de se contrôler, plus elle le provoquait subtilement. Des sentiments contradictoires le tenaillaient. Il ressentait une attirance envoûtante et une fascination mystérieuse pour la femme «fatale» qui envahissait son espace vital mais, en même temps, une appréhension inexplicable le paralysait : il se sentait menacé et il était presque terrorisé par cette déesse aux lunettes noires. Les tournées continuèrent d'atterrir sur le bar en chêne verni à un rythme infernal. Adam, qui ne consommait habituellement qu'un double Southern Comfort et quelques bières, avait maintenant ingurgité quatre verres d'alcool et autant de bières. Ses appréhensions déclinant de façon inversement proportionnelle au taux d'alcool dans son sang, il laissa échapper :

— Vous ne les enlevez jamais vos lunettes noires, Mademoiselle Anna ? Si la beauté de vos yeux égale celle du reste de votre corps, je ne détesterais pas les voir...

Son cerveau fonctionnant déjà au ralenti, Julien Adam prit conscience de sa bêtise seulement lorsqu'il eut achevé sa question. Il bafouilla quelques plates excuses, la demi-obscurité de l'endroit ne suffisant même pas à masquer sa rougeur!

— Je ne les enlève que pour dormir. Ce n'est donc qu'à ce moment que tu pourras voir mes yeux, si tu y tiens toujours! Et, en passant, tu ne pourrais pas me tutoyer aussi?

La réplique d'Anna ne laissa aucun doute au sergent Adam et lui enleva une tonne de briques des épaules; tous ses obscurs pressentiments s'envolèrent! En outre, son visage retrouva son coloris normal et la conversation reprit sur des sujets beaucoup plus légers.

Joss, le barman «Gentle Giant», en bon pro, s'éloigna du couple de tourtereaux qui riaient maintenant à tue-tête et entreprit de parler football avec un autre habitué installé à l'autre extrémité du bar. Il jetait simplement un œil de temps à autre, question de voir si un de ses deux amoureux ne réclamait pas une autre tournée, ce qui était de toute façon peu probable : plusieurs bières pleines s'alignaient maintenant face au sergent Adam et trois ou quatre Bloody Mary attendaient la blonde déesse nommée Anna. Le prochain round du combat se déroulerait sans doute ailleurs; Joss, au ton de leur conversation, n'en doutait pas!

* * *

— Lieutenant Paquin, répondit Denys Paquin d'un ton plat.

— Denys... *Sexy Sadie* a encore frappé.

C'était J.-F. Caron qui venait d'annoncer la nouvelle.

Un retentissant «calice» fit sursauter le sergent Caron. Son patron s'emportait rarement et jurait encore moins souvent. Il attendit la suite pendant plusieurs secondes. Il pouvait sentir, même à l'autre bout du fil, la rage impuissante de son patron qui bouillonnait.

— O.K., J.-F., reprit Denys Paquin, très posément.

Il avait dû prendre quelques profondes inspirations par le nez :

— Je suppose que tu as tout vérifié comme d'habitude. Je n'ai qu'à poser les questions et les réponses suivront? Je répondrai moi-même à ma première question : tu es sûr qu'il s'agit bien de la même personne? Oui, nous avons retrouvé des cheveux blonds et le labo est formel : ils appartiennent à la personne qui a commis les premier et deuxième meurtres! C'est ça? Alors déboule-moi le reste, J.-F. J'attends.

— Dac, Denys. Tu as raison sur le premier point : si j'ai dit «*Sexy Sadie* a encore frappé», c'est que j'avais déjà le rapport du labo en main. Il s'agit bien des mêmes cheveux et de la même personne. Cette fois-ci, elle ne portait pas de perruque, car on n'a retrouvé que des cheveux blonds, et notre seul témoin l'a bel et bien vue en blonde. Pour ce qui suit, Denys, reste bien assis et prends encore quelques bonnes respirations : c'est tout simplement horrible! Un, la victime, nous la connaissons fort bien, toi et moi : c'est le sergent Julien Adam, de notre propre brigade. Je l'avais averti que je le libérais de toute enquête en cours et que je requérais ses services à partir de demain — aujourd'hui. Deux, je l'ai retrouvé dans son appartement, attaché à son lit avec des menottes, deux fourchettes à fondue enfoncées jusqu'à la poignée dans les yeux. Le médecin légiste ne peut être plus certain de la cause du décès : les deux fourchettes ont transpercé le cerveau de part en part — l'arrière de la boîte crânienne a arrêté leur course — causant une dévastatrice et évidemment mortelle hémorragie cérébrale. Le doc a établi l'heure du décès à environ 2 heures, à une heure près. Même si la mort est survenue assez récemment, il est incapable de préciser davantage, l'agonie a pu durer longtemps! Comment a-t-elle réussi à lui enfoncer ces fourchettes dans les yeux, puisqu'il pouvait quand même bouger la tête? Réponse : il dormait vraisemblablement comme une souche car les paupières ont également été perforées. Et il avait toutes les raisons du monde pour dormir à poings fermés; le taux très élevé d'alcool dans son sang et probablement plusieurs relations sexuelles complètes : la quantité de sperme dans ses organes était très basse. Donc, Adam a pris un verre avec elle, l'a emmenée chez lui, ils ont tiré quelques bons coups, il s'est endormi, elle l'a attaché et...

— Doux Jésus ! C'est pas possible. Un sergent de la criminelle qui se fait prendre comme un stupide lièvre dans le premier collet posé devant lui ! Il se fait piéger et charcuter par la première pute venue ! Je vais avoir sa peau, la vache...

Denys Paquin étouffait de rage, de rage et de stupeur, de stupeur et d'horreur ! Il tenta de retrouver son calme et ses esprits. Il avala une bonne rasade de Perrier et alluma une cigarette.

— Raconte-moi la suite, J.-F., et excuse la crise.

— O.K., Denys. O.K. Ça va ? Dans quel état crois-tu que je me trouvais quelques minutes après avoir découvert Julien ? J'ai failli tout démolir dans l'appartement, indices compris ! Car je viens de te le dire : c'est bien moi qui ai fait la découverte ! J'avais demandé à Adam de me retrouver à mon bureau ce matin à 8 heures pile. Je connais l'oiseau : Adam prend un petit coup de temps en temps. Alors, comme il n'était pas encore arrivé à 8 heures 15 et que son auto se trouvait dans le stationnement du poste, j'ai décidé de le tirer du lit moi-même. Mais le pire reste encore à venir, Denys !

Le dialogue cessa un moment, les deux hommes faisant ample provision d'oxygène !

— Continue, J.-F., je t'écoute sans t'interrompre, promis, répondit Denys Paquin, rompant le silence d'un ton funeste.

— Nos services de prospection informatisée reliés à ceux de Gentile avaient d'abord scanné les 152 procès mettant en cause Édouard et Riopel et isolé les 64 relatif à des femmes. Parmi ces 64 causes, 8 concernaient des femmes ou des filles qui avaient porté des accusations de viol, d'agression sexuelle, de violence ou tout simplement de harcèlement. Et une seule parmi elles a perdu son procès, ses présumés agresseurs ayant été acquittés faute de preuves suffisantes. Je suis persuadé que tu as déjà deviné son prénom : Anna. Son nom est Guay et les accusés étaient son père et ses deux frères aînés, des jumeaux. Nous avons évidemment tous pensé la même chose : si Anna ne s'était pas d'abord vengée des coupables ou présumés coupables, ils ne devaient pas se trouver bien loin sur sa liste, le plus surprenant étant qu'elle n'ait pas commencé par eux! La réponse à cette apparente énigme est toute simple : le père et l'un des jumeaux ont trouvé la mort la même journée, le 26 avril 1985, et l'autre purge une peine de prison pour enlèvement, séquestration, viol et lésions corporelles graves! Et le procès, quant à lui, s'est tenu en février 1981 et portait sur des faits survenus entre 1973 et 1978, selon les dires de la plaignante. Pourquoi a-t-elle attendu aussi longtemps pour porter plainte? Dieu seul le sait! Et pourquoi exercer sa vengeance quatorze ans après le procès, et cela sur les représentants de la loi? Là, fouille-moi!

J.-F. Caron s'arrêta pour reprendre son souffle.

— Et Julien Adam là-dedans, je suppose qu'il avait vu quelque chose?

— Pas exactement. Comme je te l'ai dit plus tôt, Anna Guay a attendu trois ans après que les viols collectifs eurent cessé — ils s'y mettaient toujours à trois pour la prendre — pour porter une plainte à la DPJ. Son père et ses frères ont mis fin à leurs pratiques quand elle a commencé à avoir ses règles. Cependant, le père continuait d'exiger d'elle d'autres services d'ordre sexuel : masturbations et fellations. Si elle refusait, il la battait. Un jour, encore une fois selon le témoignage d'Anna, en rentrant de l'école d'où elle venait d'être renvoyée après avoir assommé un garçon qui l'avait — eh oui! — apparemment agressée, elle a refusé de faire une pipe à son cher père, fin soûl. Celui-ci l'a alors rossée plus que d'habitude, jusqu'à ce qu'elle en perde conscience. Et il a poussé encore plus loin, le vieil écœurant, soûl mais pas fou. Il a lui-même appelé la police et l'ambulance, et a affirmé que sa fille avait tout juste pu sonner à la porte de leur maison avant de s'écrouler dans ses bras ! C'est le jeune agent Julien Adam qui est arrivé le premier sur les lieux, a pris la déposition du père, s'est rendu à l'hôpital pour consigner celle d'Anna et, évidemment, a témoigné en cour lors du procès. Tu devines le reste. Tout ce qu'il a dit : «JE N'AI RIEN VU». J'abrège un peu, car il a bien sûr répondu aux questions des deux avocats et répété ce qu'il avait noté dans son rapport, mais il ne pouvait certainement pas corroborer les faits avancés par Anna Guay. De cela, il n'a pu que dire : «JE N'AI RIEN VU». Sans le savoir, il a signé son arrêt de mort ce jour-là !

Un interminable silence suivit. J.-F. Caron attendait la prochaine question de son patron et il savait laquelle ce serait ! Si Denys Paquin ne la posait pas tout de suite, c'était pour le ménager. J.-F. Caron aurait dû apprendre ce fait avant, il aurait dû lui communiquer cette information avant, il aurait dû aviser Julien Adam qu'il se trouvait en danger de mort avant, mieux, il aurait dû l'envoyer en congé payé «ailleurs». Le lieutenant Paquin, des siècles plus tard, lui posa la fameuse question :

— Depuis quand es-tu au courant de ce que tu viens de m'apprendre, J.-F.?

— Depuis hier soir 23 heures. Comme je te l'ai dit, nos services de renseignements et ceux de Gentile ont épluché tous les documents et m'ont remis une liste des noms de toutes les personnes engagées de près ou de loin dans les huit procès à connotation sexuelle. Au lieu de me concentrer tout de suite sur le cas de la seule femme qui avait perdu sa cause, j'ai quand même examiné les autres, des évidences auraient pu me sauter aux yeux. Je sais bien que tu étais persuadé que notre meurtrier était une perdante en furie, mais je ne voulais rien laisser de côté sans au moins jeter un coup d'œil. Puis, dans le procès de la perdante, Anna Guay, j'ai bien relevé le nom de tous les gens liés à cette affaire ; personne ne me semblait, de façon plus ou moins imminente, être la prochaine victime désignée. Nous savions qu'il n'existait pas de témoin des faits rapportés par Anna Guay, sauf le père et les jumeaux, les accusés, et ceux-ci sont soit décédés, soit sous les verrous! J'ai donc décidé de lire la transcription du procès. À la fin de la deuxième lecture, une portion de phrase de la déposition d'Adam m'a alors sauté aux yeux : «JE N'AI RIEN VU». Je me suis alors dit que dès le lendemain, puisque j'avais convoqué Adam à mon bureau, je l'aviserais que je le mettais sur l'affaire et qu'il était lui-même une cible potentielle! J'aurais dû l'appeler tout de suite.

— Ça va, J.-F., tu aurais pu ne jamais remarquer cette phrase et d'autres personnes auraient pu dire la même chose à ce procès. De plus, *Sexy Sadie*, comme tu l'appelles, aurait pu frapper avant et nous en serions au même point. Au fait, J.-F., tu sais quel jour nous étions hier?

— Oui, le 1er septembre, Denys. Pourquoi?

— C'était la pleine lune hier, J.-F. Notre troisième petit singe a été exécuté une nuit de pleine lune comme les deux autres : 6 juillet, 4 août, 1er septembre. Qu'en dis-tu?

— Ouais... as-tu trouvé une autre corrélation en plus des trois petits singes?

— Je suis persuadé qu'il existe quelque chose d'autre, mais je ne sais quoi! Si la vengeance concernait seulement les trois petits singes, alors tout serait terminé; les meurtres, j'entends. Il ne nous resterait qu'à trouver la coupable et nous savons maintenant son nom, son vrai nom, et nous avons une assez bonne description d'elle. Mais malheureusement, je sens que tout ne finira pas avec ce troisième meurtre. Continue à compulser tes documents, listes, etc., J.-F., et apporte-moi tout ce qui te semble intéressant. Moi, je vais faire quelques mots croisés. Merci, J.-F., et ne culpabilise surtout pas! Tu dois garder la tête froide et l'âme en paix, notre travail ne s'arrête pas là. Salut.

Denys Paquin désespérait. Rien d'autre que «cul-de-sac, affligeant» ne lui venait à l'esprit pour décrire la présente conjoncture. Avant de se mettre à ses mots croisés, il devait absolument passer un coup de fil au ministre Robillard; le vieux s'était montré fort correct avec lui, il se sentait obligé de lui rendre la pareille. Il fouilla dans la poche intérieure de son veston et en tira un portefeuille en cuir noir. Il en retira une carte insérée entre deux cartes bancaires, un numéro y était inscrit : MER0001. Il le composa lui-même sur le clavier de son appareil téléphonique et obtint la communication. Le ministre lui-même répondit à la deuxième sonnerie :

— Monsieur le ministre?

— Oui, lieutenant Paquin, vous pouvez parler, je suis seul dans ma bibliothèque.

— Notre troisième petit singe a été exécuté la nuit dernière. Celui qui n'a rien vu était un de nos propres sous-officiers : le sergent Julien Adam.

— Non, mais... c'est pas vrai! Nous avons affaire à une sorcière ou à une succube?

— Non, monsieur. La coupable existe en chair et en os, et vit quelque part dans notre belle ville. Nous connaissons maintenant son nom et le motif de sa sanglante vengeance est bien celui que j'imaginais : ses agresseurs, les coupables des viols collectifs répétés qu'elle a vraisemblablement subis, ont été acquittés lors d'un procès présidé par le juge Jean Édouard et dans lequel le procureur Riopel représentait le ministère de la Justice. L'agent Adam, à l'époque, avait pris les dépositions et les a répétées au procès, mais il «N'AVAIT RIEN VU»!

— Alors il ne vous reste plus qu'à lui mettre le grappin dessus et à l'inculper?

— En effet, monsieur le ministre; mais pour le moment, nous n'avons absolument aucune information à son sujet ou presque : elle n'a pas de dossier criminel, pas d'adresse, pas d'emploi, ne reçoit pas de prestations d'assurance-chômage, pas d'aide sociale, rien... Nous cherchons l'aiguille. Nous ne disposons pas de photos récentes d'elle, uniquement d'un portrait-robot assez flou. Deux témoins seulement l'ont clairement vue : les deux l'ont aperçue portant des verres noirs et un des deux, avec la peau brune et une perruque noire en plus! Le quart de nos ressources matérielles et humaines sont sur l'affaire et, si je peux me permettre, monsieur le ministre, en annonçant la nouvelle à M. Gentile, demandez-lui donc de m'en fournir le plus qu'il peut.

— Avec plaisir, lieutenant Paquin. J'entre en communication avec M. Gentile immédiatement et je suis certain qu'il vous fournira toute l'aide nécessaire. Une chance que vous l'avez impressionné au plus haut point, car le ministre de la Justice fédéral insistait pour que cette enquête soit confiée aux services spéciaux chargés des crimes en série. M. Gentile a lui-même expliqué au ministre en question que vous lui apparaissiez comme la personne la plus susceptible de mettre fin aux activités de la «dame de cœur»; c'est ainsi qu'ils la nomment maintenant dans leur service et ailleurs au fédéral. Il lui a également dit que vous n'étiez pas le genre à travailler seul et que vous déléguiez, collaboriez, faisiez circuler toutes les informations, etc. Cela a grandement contribué à rassurer un peu tout le monde et à vous laisser le contrôle de l'enquête. Mais, il y a un mais, lieutenant Paquin, vous devrez maintenant affronter les gens de la presse. Je ne puis ni ne désire laisser les journalistes dans l'ignorance plus longtemps; ils connaissent l'identité des victimes et certains d'entre eux, les plus brillants et les plus sagaces, savent qu'il ne s'agit pas d'une meurtrière en série typique. Vous devez informer la population, par l'intermédiaire des journalistes, qu'elle ne court aucun danger, que les meurtres visent des personnes particulières et ciblées, et non choisies au hasard ou pour satisfaire des besoins sanguinaires monstrueux. Je vous laisse ce plaisir, lieutenant Paquin, en sachant que vous vous en tirerez honorablement, c'est-à-dire en répondant aux nécessités de l'information sans pour autant nuire à l'enquête.

Denys Paquin raccrocha tout doucement. Au moins, personne ne lui était tombé dessus à bras raccourcis. Il semblait bien que tous les gens mêlés de près ou de loin à cette affaire, à tous les niveaux, comprenaient la situation. En fait, tout comme lui, ils se laissaient ballotter par les événements, ils devaient accepter les faits, impuissants qu'ils étaient devant une telle énigme! Le cas avait progressé de façon diamétralement opposée aux cas classiques : ils connaissaient le mobile des meurtres, ils avaient en main les armes des crimes, ils possédaient une preuve vivante, les cheveux, qui incriminait l'auteure des assassinats et ils connaissaient son identité! Normalement, ils ne disposaient que d'un ou deux de ces éléments et s'en contentaient! Mais dans les circonstances, ils possédaient tout et rien : comment retrouver quelqu'un qui ne travaillait nulle part depuis une dizaine d'années, qui n'était apparemment membre d'aucune association de criminels, prostituées comprises; habitait-elle sur une planète éloignée? Et si elle opérait d'une manière quelconque, elle devait le faire sous un nom d'emprunt et posséder de faux papiers, et des bons! Cela expliquerait également qu'on n'ait pu trouver, dans toute la région, d'institution financière qui eût une cliente nommée Anna Guay. Une seule réponse, la plus simple et la plus logique, les deux allant souvent de pair, avait la faveur de Denys Paquin : la prostitution. Cela expliquait presque tout : pas de chèque de paie, donc aucune déclaration aux divers services gouvernementaux, pas de compte en banque, donc pas de questions sur la provenance des fonds. De plus, si elle faisait de bonnes affaires — les descriptions qu'ils avaient de son physique tendaient à le supposer — et qu'elle payait son loyer en liquide et longtemps à l'avance, cela éliminait la curiosité des propriétaires. Du bel argent sonnant, sans problèmes, et ils ne cherchaient pas de puces à leurs locataires, surtout que la plupart du temps ils ne les connaissaient même pas! Le lieutenant Paquin ne pouvait vraiment pas imaginer à Anna un autre métier qui lui permette de demeurer dans l'anonymat tout en payant ses factures. Solution parfaite? Il y avait un hic : personne, absolument personne dans le milieu ne la connaissait, bien que J.-F. Caron et ses acolytes eussent tenté, par promesses ou menaces, de délier les langues les mieux tenues. Anna travaillait donc très certainement seule, sans l'aide d'un souteneur ou d'une madame. Peut-être avait-elle commencé ainsi, sur le trottoir ou dans une maison, mais son physique et sa technique l'en avaient vite sortie et elle s'était bâti une clientèle privilégiée : des clients de luxe qui se refilaient son nom et son numéro de téléphone, loin des yeux et des oreilles indiscrètes ! Elle n'avait sans doute même pas à sortir de chez elle, sauf pour les rendez-vous ! Et il ne fallait donc pas s'attendre à des révélations spontanées de ces messieurs de la haute qui avaient épouse et situation bien en vue ! À moins ? À moins qu'un de ses clients n'ait été lui aussi impliqué dans cette affaire ou ce procès et qu'il ne tremble maintenant de frayeur : la probabilité était infinitésimale !

Denys Paquin se répéta intérieurement :

— Je me trouve face à une voûte protégée par une porte blindée et fermée à clé. Je ne peux y entrer d'aucune façon ; je dois donc voir à travers la porte ce qui se passe à l'intérieur...

Plus ou moins consciemment, le lieutenant Paquin avait préparé la conférence de presse qui se tiendrait le lendemain matin. Il n'avait qu'à dire la vérité ! Il n'avait rien à cacher ; la population en général n'avait rien à craindre et on n'assisterait donc pas à une panique généralisée. La diffusion de l'information ne pouvait que les aider, lui et la meute de policiers affectés à l'enquête. Donc, les faits purs et durs :

«Un, nous pouvons vous révéler l'identité de la coupable. Vous trouverez dans les dossiers que nous avons préparés à votre intention une description ainsi qu'un portrait-robot et une photo d'elle lorsqu'elle était en secondaire V.

«Deux, nous connaissons également le mobile qui la pousse à exécuter sadiquement ses victimes présélectionnées.

«Trois, nous croyons qu'elle gagne sa vie en se prostituant à son compte.

«Quatre, tous les membres de sa famille immédiate sont décédés ou emprisonnés, nous ne lui connaissons ni amis, ni relations professionnelles, ni adresse depuis plus de dix ans.»

La vérité pure et simple, sauf en ce qui avait trait au jeune frère qui n'était pas vraiment mort mais seulement «retiré de la circulation». Cela simplifiait les choses et, surtout, permettrait peut-être de trouver une piste. Il devait quand même bien exister quelqu'un dans cette ville qui la rencontrait de temps à autre : un épicier, un cordonnier, un prêtre, un médecin... n'importe qui !

Denys Paquin était fin prêt pour la conférence de presse. Il transmit l'information au téléphone à l'agent Bouchard, qui s'occuperait des détails techniques, et lui rappela également la consigne devenue routine :

— Je ne suis là pour personne sauf pour J.-F. Caron et MM. Gentile et Robillard.

Puis il raccrocha aussi doucement qu'il avait décroché. Il sortit d'une enveloppe dissimulée dans un tiroir du bas de son bureau quelques pages de mots croisés géants réputés très difficiles. Il étala ensuite à portée de bras les quelques dictionnaires dont il disposait dans son bureau : noms communs, noms propres, synonymes et antonymes, noms de lieux, etc. Il retroussa ses manches de chemise, s'alluma une super-longue et allait s'attaquer à la première grille lorsqu'un élément de solution lui brûla presque les neurones. Il fouilla fébrilement dans son portefeuille pour retrouver la carte du ministre Robillard. Il savait qu'il avait inscrit à l'endos de celle-ci le numéro *TOP PRIORITY* de Jim Gentile. Il devait lui demander son aide immédiatement ! Il décrocha nerveusement le combiné et composa directement le 1-900-GENTILE :

— *Mr. Gentile's office, give your name and code please.*

— Lieutenant Paquin, code...

— Très bien, lieutenant Paquin, laissez tomber le numéro de code, votre nom se trouve sur ma liste, tout en haut. M. Gentile se trouve présentement au bureau du ministre, mais il m'a bien spécifié de prendre vos messages ou directives et d'y donner suite sans délai. Je vous écoute, je suis le lieutenant Jenkins, à vos ordres.

— Je veux que vous me retrouviez Patrick Guay. Date de naissance : 20 décembre 1967 ; numéro d'assurance sociale :

292 623 400. Peu importe où il vit au Canada, s'il s'y trouve, il doit être ramené ici. M. Gentile justifiera le geste, il trouvera certainement une bonne raison légale. C'est capital pour le dénouement de notre enquête. D'accord, lieutenant Jenkins?

— Aucun problème, lieutenant Paquin. Je fais entreprendre les recherches immédiatement. M. Gentile entrera en communication avec vous très bientôt. *Have a nice day, mister Paquin.*

Le lieutenant reposa délicatement le combiné sur son socle. Il respirait mieux : il avait maintenant en main un élément de solution; et la clé pour ouvrir la porte de la voûte mystère se trouvait peut-être dans ses mots croisés? Il commença à noircir les cases blanches des définitions faciles, celles à trois ou quatre lettres. Il procédait toujours de la sorte avec les grilles géantes présentant un degré élevé de difficulté : il obtenait ainsi quelques lettres, rendant plus aisée la découverte des mots de huit lettres ou plus.

— Il se déguisait en femme : ÉON

— Nid des oiseaux de proie : AIRE

— Discipline spirituelle et corporelle issue d'un système philosophique brahmanique : YOGA

— Dieu du vent : ÉOLE

— Messager des dieux : HERMÈS

— Ami : ALLIÉ

Cela lui donnait maintenant, dans un même espace restreint de la grille :

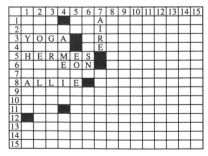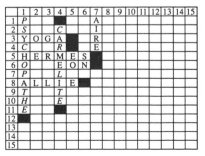

Il regarda la définition du 4 vertical : nonne déchaussée, et il inscrivit CARMÉLITE; puis celle du 1 vertical : personne souffrant d'un dédoublement de la personnalité. Avec le Y et le H, la solution devait être PSYCHOPATHE. C'est ce qu'il crayonna. Une fois ces deux réponses inscrites, l'«évidence» frappa Denys Paquin comme un train : PSYCHOPATHE déguisée (ÉON) en CARMÉLITE! Quelle idée saugrenue venait-il de concevoir là! Seuls les mots inscrits en noir sur blanc devant ses yeux pouvaient lui avoir insufflé pareille déduction! Mais était-ce vraiment si inconcevable, si invraisemblable, si incongru? Il nota quelques mots et se mit à y réfléchir. D'abord, DÉGUISEMENT : elle s'était déguisée deux fois sur trois pour commettre ses meurtres, mais le faisait-elle sur une base régulière de façon que personne ne puisse vraiment l'identifier, la reconnaître d'une fois à l'autre? Ensuite, PSY-CHOPATHE : elle se déguisait pour tuer, mais peut-être n'en avait-elle pas vraiment conscience? Peut-être que la personne qui se vengeait et assassinait était complètement dissociée d'une douce et gentille Anna? Après ce qu'elle avait subi, la chose n'était pas impossible. Enfin, CARMÉLITE : là, la déduction était vraiment farfelue! Mais un fait demeurait : Anna devait habiter quelque part, comme tout le monde. Peut-être dans une famille d'accueil, pas au sens ordinaire du terme, elle était trop âgée pour cela, et même alors, elle serait inscrite comme dépendante au ministère des Affaires sociales, au ministère du Revenu, etc. Et ce n'était pas le cas. Mais dans une famille qui l'avait accueillie dix ou douze ans auparavant et qui l'avait plus ou moins adoptée. Ainsi, Anna pouvait aisément leur faire croire qu'elle travaillait de nuit, faisait des heures supplémentaires comme...? Comme préposée aux bénéficiaires dans un hôpital. Cela expliquait ses sorties et ses revenus aux yeux de ses parents adoptifs. Anna pouvait passer ses soirées et ses nuits au-dehors à se prostituer avec un de ses clients de luxe et rentrer à la maison pour se laver et dormir. Elle pouvait aider ses parents adoptifs à payer le loyer, l'épicerie, les factures, leur acheter des cadeaux, etc. : tout paraissait alors tout à fait normal à tout le monde! Et si elle ne sortait jamais durant le jour, elle dormait? Ses parents adoptifs, eux, sortaient, faisaient les courses, se rendaient à la banque...; voilà pourquoi personne n'avait encore appelé pour signaler une jeune femme correspondant au portrait-robot paru dans tous les journaux de la province et présenté régulièrement à la télé! Tout baignait dans l'huile pour Mlle Anna : elle ne sortait que le soir venu et toujours déguisée!

Denys Paquin rassembla ses idées et les nota méthodiquement. Ce seraient les nouvelles données qu'il refilerait à J.-F. Caron et à son escouade :

Anna Guay mène vraisemblablement une double vie : prostituée de luxe le soir ou la nuit et, durant le jour, gentille petite fille adoptive aidant financièrement ou autrement ses vieux parents. Pourquoi vieux? Probablement à cause de son âge à elle et parce qu'elle les avait sans doute plus ou moins choisis : c'était plus facile d'enjôler des personnes âgées et de leur faire croire à peu près n'importe quoi. De toute manière, si Anna Guay se dédoublait vraiment, elle était certainement le type parfait de la jeune femme rangée, douce, affectueuse. C'était l'autre Anna qui tuait férocement, par vengeance.

Donc, les acolytes de J.-F. Caron devraient ratisser toute la ville en visitant épiceries, dépanneurs, pharmacies, cordonneries... pour essayer de trouver un vieux couple qui vivait avec leur fille unique, une jeune femme entre vingt-sept et trente-cinq ans (on savait qu'Anna Guay avait trente ans), peut-être adoptée. Joli travail pour J.-F. Caron et compagnie!, mais Denys Paquin était quasiment convaincu qu'il détenait maintenant la clé de la voûte mystère. Ses enquêteurs devaient trouver la bonne porte!

Le lieutenant Paquin rangea ses grilles de mots croisés dans leur grande enveloppe brune, replaça ses dictionnaires sur les étagères de la bibliothèque et prit le combiné.

3 septembre 1995

Sœur Agathe, de faction à la porte, trottina comme une souris jusqu'à l'entrée lorsqu'elle entendit le tintement de la vieille cloche de cuivre fêlée. Cette dernière sonnait si rarement qu'elle avait sursauté en l'entendant et avait laissé tomber son cerceau à broder et l'ouvrage commencé. Qui pouvait bien venir à cette heure, ou à n'importe quelle heure, de toute façon? Le travail de portier était vraiment fait pour les vieilles sœurs; jamais personne ne venait ici sans s'être auparavant annoncé. Elle fit doucement glisser le carreau de bois qui masquait le judas, lui permettant d'apercevoir le visiteur impromptu :

— Anna! Que faites-vous dehors? Comment?

— Je suis bien Anna, ma sœur, mais pas celle que vous croyez, et je suis venue rendre visite à Anna, celle que vous connaissez; on nous a toujours prises pour des jumelles. Mais laissez-moi entrer, ma sœur, et je pourrai vous en raconter un peu plus à l'intérieur : c'est plutôt difficile à travers cette minuscule ouverture.

— Je dois d'abord prévenir mère Alexandra avant de faire entrer qui que ce soit qui ne s'est pas annoncé, répondit sœur Agathe qui, bien que stupéfaite, se rappelait bien la consigne qu'elle n'avait jamais eu à mettre en pratique.

— Très bien, ma sœur, mais laissez-moi au moins entrer. J'attendrai sagement sur le pas de la porte que vous rameniez mère Alexandra. Vous savez, il pleut à torrents de mon côté de la porte.

Sœur Agathe ferma le carreau et fit glisser le verrou de la main gauche; après tout, on ne laisse pas un chien sous la pluie et le visiteur était une femme, la sœur jumelle d'Anna par-dessus le marché! Elle laissa entrer la visiteuse et fila droit chez mère Alexandra sans mot dire.

Bien qu'elle eût pris le temps d'avertir mère Alexandra qu'une visiteuse inattendue «ressemblant» à Anna comme une goutte d'eau à une autre attendait de ce côté-ci de la porte d'entrée, la supérieure resta quand même médusée lorsqu'elle l'aperçut! Elle dut prendre quelques inspirations profondes avant de pouvoir s'approcher de la visiteuse et de lui demander :

— Mademoiselle, que pouvons-nous faire pour vous?

La visiteuse fit semblant de ne pas remarquer la stupé-faction qui se lisait encore sur les traits de la mère supérieure et, délicatesse oblige, lui répondit très poliment :

— Je viens rendre visite à Anna. Nous sommes de vieilles amies, nous nous connaissons depuis l'école secondaire. Je me nomme également Anna et comme nous étions toujours en-semble à cette époque, les gens nous prenaient souvent pour des jumelles et nous confondaient tout simplement.

— Il y a de quoi, Mademoiselle Anna! Deux chattes siamoises se ressemblent moins que vous deux! Et pourquoi avez-vous attendu tout ce temps pour lui rendre visite? Anna habite avec nous depuis plus de huit ans, vous le saviez?

— Anna Bourré, mère. Nous nous sommes perdues de vue après l'école et j'ai revu Anna, par pur hasard, il y a quelques mois seulement. Elle se promenait dans le parc et nous avons conversé quelques minutes. Je savais qu'elle vivait ici avec vous, mais étant donné qu'elle craignait probablement que ma visite ne vous dérange ou ne transgresse les règles qui prévalent ici, elle ne m'a pas invitée. Mais aujourd'hui, à moins que ma visite ne trouble vraiment trop votre quiétude ou ne viole vos règles, je désirerais vraiment la rencontrer. Me le permettez-vous?

Anna Bourré mentait, ou du moins elle déformait la vérité, et elle cachait quelque chose. Mère Alexandra en était persuadée : la personne qui lui avait adressé la parole se cachait derrière un masque. Derrière le sourire angélique et la douceur de sa voix se tapissait une bête féroce! Bien sûr, Anna pouvait bien sortir du couvent, elle n'était pas soumise aux règles de l'ordre comme les autres pensionnaires de cette maison. Cela aurait justifié ses absences inexpliquées à la chapelle, au réfectoire, et cela pendant deux ou trois jours consécutifs parfois. Mais Anna, sa pensionnaire, lui confiait tout et jamais elle ne lui avait dit qu'elle allait faire un tour en ville. Cependant Anna, la visiteuse, ne mentait peut-être pas sur ce point précis et, de toute façon, mère Alexandra ne pouvait ni ne désirait empêcher Anna de recevoir une amie.

— Bien, Mademoiselle Bourré, je vais vous conduire jusqu'à la chambre d'Anna. Veuillez excuser la froideur de mon accueil, mais nous ne sommes pas habituées aux visiteurs et votre ressemblance avec Anna est tellement saisissante que j'en suis encore toute retournée. Suivez-moi, s'il vous plaît. Sœur Agathe, j'enverrai sœur Lucette vous relever. Allez, regagnez votre chambre et reposez-vous jusqu'au dîner.

— Merci infiniment, ma mère.

— Alexandra. Je vous en prie, Mademoiselle, Anna sera sans doute ravie de vous voir, de vous revoir, que dis-je.

Et les deux femmes s'engouffrèrent dans le couloir principal du monastère. Mère Alexandra, bien accoutumée aux craquements du plancher de chêne centenaire, parvenait à glisser dessus presque sans bruit pendant qu'Anna Bourré la suivait pas à pas, silencieuse et souple comme une chatte. Elles bifurquèrent bientôt, prirent à gauche et entrèrent dans le sombre corridor de l'aile ouest. Elles parvinrent rapidement à destination, l'appartement d'Anna; mère Alexandra frappa deux petits coups :

— Anna, une visiteuse pour vous.

— Anna, c'est moi, j'entre.

Et Anna Bourré se glissa vivement, évita mère Alexandra, ouvrit la porte sans attendre la réponse, entra et referma derrière elle. Mère Alexandra, qui tenait toujours le poing en l'air, fulminait : quelle malotrue que cette Bourré !

Elle portait bien son nom. En d'autres circonstances, elle vous l'aurait sortie de là sur les fesses, la Bourré !

— Oh ! Anna, quelle surprise ! Comme tu es gentille. Mère Alexandra n'a pas...

— Non, non, ça va, Anna. Elle est super, ta mémé. Viens ici que je t'embrasse.

« Mémé ! Mémé ? pensa mère Alexandra. Si jamais je la rencontre en ville, celle-là, je lui botterai le cul avec grand plaisir ! Mémé ! »

Mère Alexandra décida de s'éloigner de la porte plutôt que de l'enfoncer, comme elle l'aurait fait du crâne de la visiteuse. Et elle se dirigea vers ses appartements d'un pas fougueux, fendant l'air de ses robustes bras d'ex-nageuse olympique. Un bon whisky ne lui ferait sûrement pas de mal !

— Très chère Anna, tu es rayonnante, s'écria Anna Bourré, serrant fermement sa « jumelle » dans ses bras.

Puis, se dégageant tranquillement de l'étreinte, elle reprit d'une voix basse, susurrante, presque inaudible :

— Tu sais, tes trois petits singes... Eh bien, ils mangent des cacahuètes en enfer !

— Quoi, que veux-tu dire ? Explique-toi, Anna, répliqua la novice suppliante, déjà terrifiée, dans l'expectative.

— Il n'y a rien à expliquer. Je les ai liquidés, les ordures, tous les trois : le juge Édouard, l'avocat Riopel et le flic Adam. Justice est faite.

— Dis-moi que ce n'est pas vrai ! Tu n'as pas fait cela ? s'écria l'invitée des moniales, les yeux brouillés par les larmes, au bord de la crise d'hystérie.

— Calme-toi, Anna ma sœur. Premièrement, tu n'as rien fait. C'est moi et moi seule qui ai tout planifié, organisé, monté et exécuté! Deuxièmement, pourquoi pleures-tu sur ces charognes? Ils n'ont rien dit, rien entendu, rien vu... alors que les évidences leur sautaient aux yeux. D'abord le flic qui a dit n'avoir rien vu, il ne t'a pas vue couverte de bleus et tachée de sang? Et ce maudit procureur qui n'a pas dit un mot, il n'a pas dit que tu avais déjà été examinée par des médecins auparavant, que tu avais subi des lacérations et que tu avais été déflorée... il n'a parlé que de la dernière fois où il n'y avait pas eu de viol! Et ce pourri de juge qui n'a rien entendu : insuffisance de preuves! Combien ça lui en prenait de preuves à ce gros porc? Ils ont juste payé pour leurs crimes. Les deux autres, ton père et un des jumeaux, sont morts de leur belle mort, tant mieux pour eux. Ça aurait pu être pire! Attends que le deuxième jumeau sorte de tôle et je lui réglerai son cas à lui aussi. Ainsi, tous ces salauds de mâles rôtiront en compagnie de leur maître : Satan!

— Arrête, je t'en prie, Anna, je sens que je vais devenir folle. Tous ces meurtres, tout ce sang à cause de moi; j'avais presque oublié ici, tu sais, j'avais presque retrouvé la paix. Je n'avais plus à m'inquiéter de mon père ni de mes frères, et je ne me souciais plus du juge, du procureur, de la police ni de tout le système. J'avais des amies ici, la tranquillité, j'avais mon jardin. Et maintenant, je devrai quitter tout cela. Pour aller où? Pour faire quoi?

— Anna, ma petite Anna! Reprends tes esprits! Je te le répète : tu n'as rien à te reprocher. Un, la coupable, ce n'est pas toi, sors-toi cela de la tête une fois pour toutes. Les coupables, ce sont tes agresseurs et ceux qui les ont acquittés. Et deux, c'est moi qui les ai tous liquidés, sauf un qui se terre à l'abri. Même quand ton père et tes frères ont été mis en accusation, c'est moi qui t'avais convaincue de porter plainte et de comparaître en cour. On t'a même renvoyée de l'école à cause de moi; tu te rappelles ce gars qui avait essayé de te peloter dans le vestiaire des filles et que j'avais assommé à coups de chaise? La direction de l'école n'a pas voulu te croire quand tu affirmais que ce n'était pas toi et que tu prétendais ignorer qui l'avait fait. Tu te souviens bien, Anna?

— Oui, je sais, Anna, tu m'as toujours protégée à l'école, murmura Anna, refoulant ses larmes et trouvant un peu de calme.

— Eh oui, ma très vieille amie, ma sœur. La petite Anna Guay douce, polie, timorée, cruellement surnommée «La lesbienne» parce qu'elle fuyait tout ce qui s'appelait garçon à l'école; et «La bourrée», frondeuse, impudente, impudique et bien nantie aux bons endroits. Les sobriquets et les jeux de mots n'étaient pas difficiles à trouver avec nos noms de famille et nos tempéraments respectifs. Ne t'inquiète plus, mon autre moi : le passé est effacé, ou presque, et tu as trouvé une place, plus, une vraie famille où tu peux t'épanouir. Reste ici parmi les tiennes et continue ce que tu avais entrepris. Ce que moi, je fais de mon côté ne doit en rien t'affecter, toi. Compris?

— Mais...

— Il n'y a pas de mais. Même votre Dieu, Yahvé, Jéhovah ou je ne sais trop, est un Dieu vengeur. Tu as sûrement lu quelques pages de vos Saintes Écritures. C'est rempli des châtiments d'un Dieu infiniment bon! Alors, si votre Dieu infiniment aimable ressent le besoin de se venger, pourquoi pas moi? Une simple petite pute, ni meilleure ni pire que le reste des humains qui pourrissent cette planète!

— D'accord, Anna, d'accord. N'en parlons plus, s'il te plaît. Mais ai-je bien entendu ta dernière phrase? Que fais-tu ces temps-ci? Qu'as-tu fait depuis l'école?

— Une chose à la fois, si tu veux bien. D'abord, à ma sortie de l'école, j'ai décroché, lors de ma première sollicitation d'emploi, un boulot comme secrétaire adjointe dans un bureau d'avocat; un bon travail qui n'exigeait pas une grande spécialisation, pas très astreignant et assez bien rémunéré. Mais... c'était trop beau pour durer. Dès les premiers jours, le patron m'a invitée à dîner, puis au cinéma, puis à passer une fin de semaine à son chalet, puis à coucher. J'ai refusé et le lundi suivant, en après-midi, mon chèque de paie et mon 4% étaient prêts : j'étais renvoyée pour cause d'incompétence et je ne pouvais absolument rien faire! J'ai cherché un nouvel emploi sans mentionner mes expériences de travail et, encore une fois, j'ai été embauchée sur-le-champ. Tu peux toi-même écrire le scénario du deuxième épisode du feuilleton : c'est une copie conforme du premier. Troisième emploi : même *pattern*, du début jusqu'à la demande de couchette, et là, j'ai accepté. Je me suis dit que le bonhomme n'était pas si mal : bien physiquement, gentil, poli, cultivé. Alors ça ne pouvait pas être si terrible que cela, surtout que je n'étais plus pucelle depuis longtemps et que j'étais seule au monde, j'avais besoin de ce travail et tout le tralala! Toutefois, dans le privé, ce fut une autre histoire. En plus de ses exigences très particulières, monsieur se transformait en pervers sadique! Dès la première fois, j'ai eu droit au grand cirque : il m'a passé les menottes, sodomisée, flagellée et j'en passe! Et pour clore l'épisode, le mercredi suivant — j'ai dû passer quatre jours chez moi à me soigner —, ma cessation d'emploi accompagnait mon dernier chèque de paie. Raison du congédiement : absences injustifiées! Là, j'ai explosé! Je l'ai évidemment engueulé comme c'est pas possible et je l'ai également menacé de poursuites judiciaires. Il m'a ri au nez! Il m'a dit qu'il avait déjà averti son épouse que sa nouvelle secrétaire le poursuivait d'un zèle assidu et qu'il pensait la renvoyer très bientôt et même porter plainte contre elle pour harcèlement sexuel! J'étais tout simplement abasourdie, stupéfaite : je devenais l'accusée! J'ai tout simplement quitté les lieux sans ajouter un mot. J'ai encaissé mon chèque et retiré le peu d'argent que j'avais et j'ai erré d'une chambre à une autre, de motel en hôtel, jusqu'à... jusqu'à... je ne sais quand! J'en ai perdu des bouts, comme on dit, et j'en perds encore! Je me souviens vaguement d'avoir fait le trottoir un bout de temps, d'avoir travaillé dans deux ou trois maisons. Il me semble aussi avoir été très malade, mais je ne suis pas certaine si c'a été un mauvais rêve ou la réalité, peu importe...

Puis je suis soudain devenue une pute de luxe avec un carnet rempli de numéros de téléphone et un porte-monnaie bien garni. J'ai le physique de l'emploi et, sans l'avoir voulu, l'expérience. Je peux maintenant choisir mes clients : pas de masos, pas de sados, pas de *fuckés*... Une ou deux passes par mois me suffisent amplement pour mener une vie agréable. Voilà, c'est à peu près tout. D'autres questions, sœurette?

— Pauvre chère Anna. Quelle destinée sordide que la tienne! Et moi qui te faisais des reproches! Tu as mis en péril ton confort, ton train de vie, plus, tu as risqué ta peau pour me venger, moi! Pourquoi avoir fait tout cela? Tu me déroutes et tu m'étonnes, grande sœur!

— Si cela peut te rendre ta quiétude et ta sérénité, je ne l'ai pas fait rien que pour toi. Tous ces salauds de mâles doivent expier leurs crimes et il ne faut pas se fier à la Justice pour ça, tu le sais par expérience. Alors nous sommes quittes, toi et moi, toi et tes bourreaux, moi et mes tortionnaires. Tous quittes : eux en enfer et nous en paix!

Les deux Anna se regardèrent longtemps, les yeux plongés dans ceux de l'autre, les cœurs, les cerveaux et les âmes fusionnant. Une secrète concorde les liait l'une à l'autre; elles ne faisaient plus qu'une et leur complicité les enchaînait désormais. Le cauchemar était terminé. Mais l'était-il?

Lorsqu'Anna Bourré la quitta en promettant bien de revenir communier avec elle un de ces jours, Anna Guay s'effondra en sanglots sur son lit. Même si elle avait plus ou moins donné l'absolution à son sosie, elle ne pouvait lui pardonner tout à fait; les crimes que l'autre avait commis, sans être gratuits, s'étaient révélés trop horribles! Et elle se sentait aussi intimement coupable que si elle les avait trucidés elle-même, ces hommes. Toute la cruauté, l'atrocité et l'exécrable froideur de ces assassinats lui ensanglantaient le cœur et lui déchiraient l'esprit. Pourrait-elle jamais retrouver la paix de l'âme après avoir été «témoin» de ces meurtres, elle qui l'avait presque trouvée dans cette oasis de calme et de sérénité?

De plus, elle pressentait que l'autre Anna n'allait pas s'arrêter là ; son frère en prison était à l'abri pour quelque temps, elle utilisait ses propres mots, mais après ? Et ne se vengerait-elle pas également de ces hommes qui avaient abusé d'elle, surtout le dernier ?

Épuisée nerveusement, Anna finit par s'assoupir, les larmes continuant de mouiller son oreiller.

* * *

Mère Alexandra avait bien entendu noté qu'Anna n'était pas venue prendre son repas du soir au réfectoire, mais elle attendit que toutes les religieuses eussent terminé le leur pour faire signe à sœur Lucette de s'approcher. Elle craignait par-dessus tout qu'Anna n'ait accompagné la Bourré et ne soit sortie du couvent.

— Sœur Lucette, est-ce que notre visiteuse a quitté les lieux ?

— Je n'ai vu sortir personne, mère Alexandra. Ni Mlle Bourré ni qui que ce soit d'autre. Je n'ai à aucun moment quitté la porte des yeux tout en tricotant, et j'ai attendu que sœur Rachel vienne me relever avant de me présenter au réfectoire.

— Merci, sœur Lucette. Que Dieu soit avec vous.

— Bonne soirée, ma mère, et que Dieu vous protège également.

Mère Alexandra s'en trouva partiellement soulagée : au moins, Anna se trouvait toujours dans le couvent, mais l'autre également !

« Seigneur Dieu ! pensa-t-elle, mais elles peuvent très bien avoir emprunté la porte du jardin. Et dans ce cas, personne ne les aurait aperçues. »

Mère Alexandra se précipita hors de la cafétéria, bousculant au passage les nonnes qui en ressortaient doucement. Si le corridor de l'aile ouest avait été un couloir de natation, elle aurait sûrement battu le record olympique du mille mètres par plusieurs secondes ! Elle atteignit l'appartement d'Anna en un temps digne du *Guinness* et y entra en bourrasque. Anna sursauta et se retrouva assise toute droite dans son lit : la mine défaite, les yeux rougis par les pleurs, les cheveux épars et trempés.

— Oh Anna ! Vous êtes là ! Merci, mon Dieu.

— Mais que se passe-t-il, mère Alexandra ?

— Vous me demandez ce qui se passe, Anna ! Mais où est allée cette... votre âme sœur ? S'est-elle évanouie ? Personne ne l'a vue sortir !

— Je ne sais pas, mère. Elle m'a laissée il y a... il y a un certain temps et je... je me suis endormie.

— Peu importe. Vous êtes toujours ici, mais dans quel piteux état ! Que vous a-t-elle donc fait ou dit pour que je vous retrouve si bouleversée ?

— Rien. Ou plutôt, ce n'est pas ce qu'elle a dit, mais ce qu'elle a vécu qui m'a ébranlée. Elle a vécu un cauchemar et cela m'a affligée autant que si je l'avais moi-même vécu.

— Vous voulez me raconter, Anna ? Cela vous soulagera peut-être ?

— Oui, ma mère, et j'ai bien d'autres choses encore à vous confier, qui vous aideront sans doute à mieux comprendre l'étrangeté de mon comportement. Je sais que vous vous y connaissez en psychologie ; mon récit pourra peut-être nous éclairer toutes deux ?

— Ne me confiez que ce que vous voulez vraiment. Rien ni personne ne vous y oblige.

— Je sais, ma mère, mais je me sens prête. Je dois libérer mon esprit de ces épouvantables rêves, libérer mon cœur des hideuses chimères qui le déchirent et soulager mon âme de tous ces fantômes qui la hantent. Je ne crois pas avoir mal agi, mais je me sens quand même responsable de toute cette brutalité et de tous ces décès. Je sens une grande déchirure au-dedans de moi. Une effrayante crevasse sépare victime et bourreau, et pourtant ils peuvent se rejoindre. Je ne peux l'expliquer clairement, tout se confond dans ma tête.

Un interminable silence s'installa entre les deux femmes. Celui-ci dura tellement que mère Alexandra se mit à douter de l'existence réelle d'Anna. Elle se sentait comme en présence d'un hologramme, d'un simulacre d'être humain! Une écorce de femme se trouvait devant elle, mais elle ne percevait aucune vie, aucune sève qui coulait à l'intérieur! Après une éternité, Anna reprit d'un ton morne et anéanti :

— Vous vous souvenez sans doute mieux que moi de l'état lamentable dans lequel je me trouvais lorsque vous m'avez recueillie il y a maintenant huit ans. Je me rappelle vaguement avoir erré çà et là, avoir occupé quelques emplois très brièvement et après, plus rien. J'ai vécu en quelque sorte dans un brouillard et je ne peux rien distinguer dans cette brume. Je peux cependant vous parler de ma vie jusqu'à cette époque.

Anna prit une profonde inspiration avant de continuer son récit; une inspiration si forte que ses poumons semblèrent près de se déchirer lorsqu'elle en expulsa bruyamment l'air.

— Ma mère est morte lorsqu'elle a donné naissance à mon frère Patrick. J'avais à peine deux ans et je n'en ai pas le moindre souvenir. Je n'ai pas non plus de réminiscences des années qui ont suivi et de mes premières années à l'école. Je me rappelle vaguement quelques compagnes de jeux et mon père ainsi que mes frères à la maison; mon père qui s'enivrait continuellement, mes deux frères aînés, les jumeaux, qui s'en tenaient éloignés et mon petit frère dont je m'occupais tendrement : c'était mon seul rayon de soleil dans cet univers de grisaille et de silence.

Encore une fois, Anna prit une inspiration déchirante et, cette fois, les larmes se mirent à couler sur ses joues.

— Vous préférez en rester là pour le moment, Anna? Je vais demander à sœur Marie-Rose de vous apporter un calmant et nous pourrons reprendre cette conversation quand vous serez reposée.

— Non, mère Alexandra, va pour les calmants, je les prendrai quand j'aurai fini de vous raconter ma petite vie! rétorqua Anna.

Et elle reprit son histoire là où elle l'avait laissée :

— Ma petite existence morne et triste a basculé dans le cauchemar un après-midi d'automne. Là, je me rappelle la date exacte : le vendredi 13 octobre 1977! J'étais revenue de l'école depuis quelques minutes et je faisais mes devoirs; je me trouvais alors seule, car Mme Larouche, la voisine du coin de la rue, ne ramenait Patrick à la maison qu'entre 17 heures 45 et 18 heures. Mon père entra tout juste derrière moi; l'horloge marquait 16 heures 45. Je m'en souviens très bien car je restai surprise : il rentrait rarement à la maison avant 22 ou 23 heures le soir et encore plus rarement avant le souper. Il empestait l'alcool à trois mètres et il tenait une grosse bouteille verte à la main. Il me regarda et me fit un grand sourire en me disant :

«Ma chère petite Anna, toujours aussi fine. Et tu es en train de devenir une femme aussi jolie et gentille que l'était ta mère.» Lorsque je m'approchai de lui, il me prit dans ses bras et m'assit sur ses cuisses. Au début, je ressentis une douce chaleur et une grande tendresse qui émanaient de lui, mais après, quand il commença à me tripoter un peu partout en s'interrompant seulement pour avaler une grande gorgée du liquide nauséabond de sa bouteille verte, je sentis un profond malaise m'envahir. Je ne connaissais pas cette sensation; je ne sentais plus de tendresse de la part de mon père, mais un mélange de sentiments insolites qui m'étaient étrangers, et j'avais peur. Lorsqu'il relâcha son étreinte pour ingurgiter une lampée d'alcool, je me dégageai vivement et, pour une raison qui m'échappe encore, je m'enfuis dans ma chambre et m'affalai sur mon lit. Il entra dans ma chambre tout juste dans mes pas. J'étais terrorisée, complètement pétrifiée, je ne pouvais faire le moindre geste.

«Ma chère petite Anna qui s'occupe si bien de la maison et de son petit frère, et qui ressemble tellement à sa chère maman, maintenant, elle devra la remplacer...

«N'entendant plus rien depuis quelques instants, il me semble, je me retournai sur le dos pour voir si mon père était sorti de ma chambre. Il se tenait près de mon lit, complètement nu! Je ne pouvais réellement être au courant de ce qui m'arriverait et pourtant, je le savais! Il me déshabilla entièrement, déchirant mes vêtements plus qu'il ne les enlevait. Il commença à me caresser partout, surtout les seins, que j'avais déjà fort développés, les cuisses, le sexe. Malgré mes efforts et ma résistance effrénés, je ne pouvais protéger tout mon corps à la fois et il semblait avoir six mains! Il essaya ensuite de me pénétrer, mais je me débattais si fort et si bien qu'il n'y parvint pas, jusqu'à ce que mes poignets et mes chevilles soient fermement emprisonnés d'un seul coup: il avait réellement six mains! Mes deux frères aînés, arrivés je ne sais d'où ni quand, me maintenaient, un les poignets, l'autre les chevilles, et mon père put ainsi me prendre aisément! Je me souviens seulement de la douleur, même si je ne poussai pas un cri et ne fis plus un geste: j'étais devenue un quartier de viande, charcuté par la souffrance. Une fois sa besogne terminée, il se retira rapidement et mes deux frères jumeaux prirent la relève. Là non plus, je ne fis pas un seul mouvement, paralysée par le mal et le dégoût.»

Anna s'arrêta un moment, fixant intensément mère Alexandra dans les yeux. Toute la haine et toute la souffrance du monde se lisaient dans les siens. Mère Alexandra en avait vu d'autres, mais à ce moment-là, elle se sentit glacée par l'horreur. Anna reprit calmement la narration de ses mémoires.

— Le cirque a duré ainsi pendant deux ans. Une ou deux fois par mois, le trio infernal assouvissait ses monstrueux désirs.

«L'appréhension de l'événement m'affectait plus que le fait lui-même: je vivais sur des charbons ardents, dans l'attente du jour maudit. Lorsque celui-ci arrivait, je me sentais, curieusement, presque soulagée! D'abord, et ce n'était pas négligeable, je ne ressentais plus aucune douleur physique et ensuite, pendant la chose, il me semblait être ailleurs et que cela arrivait à quelqu'un d'autre. Il me semblait que je regardais un film que j'avais déjà vu. Vous savez, après trois ou quatre fois, un film d'horreur ne nous fait plus vraiment peur! Ainsi, cela a duré jusqu'à mes premières menstruations qui coïncidèrent justement avec le jour exécré. Mon père me rhabilla lui-même en avertissant solennellement les jumeaux de ne plus jamais me toucher. Je croyais bien que le cauchemar venait de prendre fin; ce n'était pas tout à fait la réalité. Après cela, mon père se contenta de me forcer à le masturber et à le sucer. Et il garda ces privilèges, ces privautés, pour lui seul, dans l'intimité de sa chambre. Mes frères aînés n'y avaient sans doute pas droit ou avaient-ils pris au pied de la lettre l'avertissement de ne pas me toucher? Puis je suis allée à l'école secondaire et un événement majeur, une rencontre déterminante, allait changer le cours de ma vie : j'ai fait la connaissance de l'autre Anna. Elle ne me ressemblait pas que physiquement : elle était extrêmement émotive, sensible, mais, contrairement à moi, elle pouvait s'exprimer et surtout se défendre. Je n'avais personne à qui parler : les hommes m'effrayaient, je ne pouvais faire confiance à qui que ce soit. Je suis absolument certaine que Mme Larouche, la seule femme de mon entourage, ne m'aurait jamais crue : mon père! Un homme si triste, mais si gentil, allons donc! Je me confiai entièrement à Anna; c'est elle qui me persuada de ne plus me laisser faire. "Peu importe ce qui adviendra, ça ne pourra pas être pire que ce que tu subis déjà, Anna, ma petite sœur", me disait-elle. Elle avait déjà commencé à m'appeler sa petite sœur.

«Je décidai de suivre ses recommandations dès que mon père réitérerait ses demandes et l'"occasion" ne tarda pas à se présenter. Quelques jours plus tard, mon père arriva à la maison avant la fin de l'après-midi et je savais fort bien ce qu'il allait exiger de moi "dans les plus brefs délais".

« "Dans ma chambre, Anna" jappa-t-il aussitôt rentré. "Non", fut ma seule réponse. Je n'eus même pas le temps de me lever et de lui faire face que je me sentis tirée vers l'arrière par les cheveux, puis violemment projetée au sol. Après, il me roua de coups, puis me fouetta avec sa ceinture jusqu'à ce que je ne bouge plus. Me croyant sans doute évanouie ou peut-être bien morte, il me ramassa et me prit dans ses bras. Je sentais bien qu'il me transportait et je pensais qu'il m'amenait dans ma chambre. Mais non, il ouvrit la porte, me déposa sur le perron et referma derrière lui ! Il avait eu la présence d'esprit, même dans sa colère démente, de me laisser là, d'appeler la police et l'ambulance, puis de me "trouver" et de me transporter jusqu'à mon lit. Il a sans doute eu le temps, avant que les policiers et les ambulanciers arrivent, de nettoyer la cuisine, car ceux-ci — ils ont consigné le fait dans leurs rapports — n'ont découvert de traces de sang, le mien, que sur le palier et sur le pas de la porte. Bien joué, n'est-ce pas ? Lorsque je racontai l'incident à Anna, elle devint tout à fait furieuse, m'affirmant qu'elle "allait le tuer, ce salaud" si je ne portais pas plainte à la DPJ. Ce que je fis, quelques mois plus tard, lorsque mon père récidiva. Je crois qu'il est inutile de vous raconter le procès en détail, mère Alexandra, mais j'ai perdu : ils ont été acquittés, faute de preuves ! J'y ai quand même gagné quelque chose : on a retiré ma garde à mon père et j'ai été hébergée par une famille d'accueil, une seule famille, jusqu'à mon départ de l'école ». Anna avait fait une pause.

— Vous avez hésité sur le mot départ, Anna. Y a-t-il eu un problème, là aussi ?

— Oui. Je n'avais pas terminé, ma mère ; la suite et la fin s'en viennent, répondit Anna en prenant une autre profonde inspiration.

Elle reprit :

— Tout n'allait pas trop mal pour moi : je réussissais bien dans mes études et je n'avais plus à m'inquiéter de ma famille ! Être séparée de mon père et de mes deux frères me faisait le plus grand bien, seul mon jeune frère Patrick — il avait été placé dans une autre famille — me manquait beaucoup. Ma nouvelle famille, elle, n'aurait pu se montrer plus accueillante. À l'école, Anna la Bourrée défendait Anna la Lesbienne ; c'est ainsi que l'on me surnommait, car je ne pouvais établir de contacts, quels qu'ils fussent, avec des hommes, jeunes ou vieux. Donc, aussitôt que les actes ou les paroles devenaient un tant soit peu osés, Anna «me protégeait». Un jour, elle est allée un peu trop loin : elle a assommé avec une chaise un garçon qui avait essayé de me tripoter dans le vestiaire des filles. Pire, la direction de l'école m'a renvoyée, croyant fermement que c'était moi qui l'avais étendu pour le compte. On m'a quand même permis de passer mes examens de fin d'année pour que je puisse terminer cette session, ce que je fis avec succès. C'est à ce moment qu'a commencé ma période de transhumance : d'un emploi à un autre, d'une chambre meublée à une autre, de désillusions en cauchemars, jusqu'à ce que j'aboutisse ici. Comme je vous l'ai déjà dit, mère Alexandra, cette époque, je l'ai plus ou moins passée dans le brouillard. Il me semble que j'en ai perdu de grands bouts et je ne peux jamais être tout à fait certaine de ce qui m'est advenu ou de ce que j'ai fantasmé, affabulé. Ne m'en demandez pas plus, mère : le tissu de ma vie est fait d'une trame dont je ne connais pas tous les fils. Vous en connaissez peut-être plus que moi sur ma propre personne ! Un jour, ce sera à vous de me raconter, si vous le voulez bien ! Vous savez, mes crises, je sais que mes nerfs vont lâcher tous les vingt-huit jours, juste avant mes règles, mais je ne suis pas en mesure de vous expliquer le comment et le pourquoi. Lorsque je me réveille, je me souviens clairement du nom de la religieuse que j'ai convoquée durant mon attaque et je sais que je l'ai guérie. Mais ces faits-là, je les apprends ou les constate quand je suis redevenue normale. Je ne peux donc vous en dire plus sur ce sujet non plus. Je m'excuse, mère Alexandra, pour cela et pour tous les problèmes que je vous cause. Je crois, je pense sincèrement... qu'il vaudrait mieux pour la communauté... que je m'en aille.

— Anna, ne redites jamais cela! Vous vous excusez de quoi exactement? Des souffrances que vous avez endurées et que vous supportez toujours avec une rare vaillance et un cœur merveilleux? De garnir notre table des meilleurs fruits et légumes l'année durant? D'avoir guéri près d'une dizaine de femmes de maux et de maladies supposées incurables? Des fautrices de troubles comme vous, j'en prendrais bien une douzaine illico! De plus, Anna, toutes ici, j'ai bien dit toutes, sans exception, de la plus âgée à la plus jeune novice, vous chérissent pour la bonté de votre cœur et pour votre gaieté. Alors vos petites crises, vous pouvez... nous y sommes toutes habituées maintenant et nous savons quoi faire; cela ne nous cause pas vraiment de difficultés. C'est presque devenu un des rituels de la maison, une fois tous les vingt-huit jours, les menstruations assistées d'Anna!

Et mère Alexandra s'esclaffa d'un rire sonore et bruyant. Anna ne put s'empêcher de s'accorder avec elle!

— Bon, Anna, assez pour aujourd'hui. Vous devez être épuisée. Je vous envoie sœur Marie-Rose avec quelques sédatifs et je veux vous voir dormir jusqu'au matin. Je ne tolérerai que vous sortiez du lit que pour une seule et unique raison : la faim! C'est un ordre du généralissime Alexander. Compris, soldat?

— Oui, mon général, répondit Anna, un large sourire éclairant son visage.

Et mère Alexandra se retira, toute souriante également. C'est dans cet état qu'elle se présenta à l'infirmerie.

— Chère Marie-Rose, allez porter quelques comprimés de ce que vous voudrez à Anna dès que vous en aurez le temps. Elle a bien besoin de sommeil, cette chère petite. Merci, ma sœur.

Et elle ressortit comme elle était entrée, en coup de vent, laissant sœur Marie-Rose pantoise et intriguée par l'événement : mère Alexandra lui réclamant avec le sourire des médicaments pour une personne probablement souffrante et sans lui fournir la moindre explication! Chère et insondable mère Alexandra, que Dieu la bénisse!

La supérieure réintégra ses appartements encore tout exaltée! Enfin, toute la lumière, ou presque, était faite sur le cas Anna. Elle était soulagée, au moins en ce qui concernait l'autre Anna! Elle ne s'était pas tout à fait trompée à son sujet : la bonne femme cachait une tigresse en puissance! Il s'agissait certainement d'une créature extrêmement dangereuse, mais pas pour «leur Anna». Anna Bourré l'avait prise sous son aile, une aile d'oiseau de proie, il y a fort longtemps, et malheur à qui s'était attaqué ou s'attaquerait à elle : son compte était bon! Mais ici, intra-muros, rien de mauvais ne pouvait advenir à «leur Anna» et elles n'avaient rien à craindre des accès de rage de «la féline».

Mère Alexandra enleva prestement son costume de supérieure et revêtit un justaucorps lilas ainsi qu'un blouson en ratine noir. Avant d'extraire de son bureau le dossier *Anna Guay*, elle fouilla dans le tiroir du bas et en tira une bouteille de Red Grouse dont elle se versa une généreuse rasade. Quand elle en eut avalé une bonne moitié, elle inscrivit sur une feuille vierge :

— *Anna Guay.*

— *Explication des crises.*

— *Étant donné que les crises d'Anna se produisent à intervalles réguliers tous les vingt-huit jours, tout juste avant ses menstruations, je présume que l'état de perturbation physique et mentale dans lequel elle se trouve laisse resurgir l'angoisse et la terrorisante anxiété qui l'habitait lorsqu'elle appréhendait le jour J : celui du viol collectif.*

— *Elle se répand alors en cris terrifiants : ceux qu'elle n'a jamais pu laisser sortir lors de la première et de toutes les autres fois où elle fut agressée.*

— *Elle se sent peut-être coupable de ne pas l'avoir fait (crier), comme si elle avait alors tacitement consenti à la chose.*

— Lorsque quelqu'un l'approche et la touche (nous), elle se débat, frappe, mord, etc., ce qu'elle n'a pas fait non plus lors des agressions (pour les mêmes raisons!).

— Puis, elle se met à saigner (en quantité beaucoup plus abondante que dans des menstruations normales) et redevient tout à fait calme : on ne la violera plus puisqu'elle est menstruée!

— Les guérisons (et l'état de transe qui les précède)? Le choc nerveux qu'elle a subi a peut-être «déverrouillé des tiroirs secrets et fermés» de son cerveau (de ceux qu'à peu près personne n'utilise dans sa vie) et lui procure maintenant des pouvoirs (que nous possédons sans doute toutes) de guérison qu'elle met au service de ses semblables : malades, meurtries et blessées?

— Anna Bourré :

— Amie de jeunesse (polyvalente).

— Sosie parfait, presque une jumelle identique.

— Côté psychologique (spirituel) diamétralement opposé à Anna Guay : agressive, vengeresse, extravertie, etc.

— Protège physiquement Anna Guay en lui fournissant ce qui lui manque en agressivité et celle-ci le lui rend en lui donnant toute sa tendresse, toute son affection.

— S'il était possible de fusionner les deux Anna, on obtiendrait comme résultat la femme idéale : belle comme une déesse (sans ce regard effrayant d'Anna B.), douce comme un ange (avec juste assez d'agressivité pour vous donner un coup d'aile!), réaliste et rêveuse à la fois.

«Suffit comme cela, pensa mère Alexandra, notre Anna est très bien comme elle est. Ici, personne ne l'agressera et je ne crois pas qu'elle veuille jamais nous quitter. Rien ne lui manque dans ce couvent, sûrement pas les hommes, contrairement à moi! Elle s'épanouit vraiment comme une petite fleur. Si elle en manifeste le désir, je consulterai un psy un de ces jours, un pro! Il pourrait sans doute trouver des choses intéressantes lorsqu'elle tombera en transe : intéressantes pour Anna et pour la science. Plus tard... la journée a été bien remplie.»

Et elle cala le reste de son whisky d'un trait avant de remplir de nouveau son verre.

30 septembre 1995

— Lieutenant Paquin, le chef de police de la ville de Trois-Rivières vient tout juste d'appeler. Il veut que vous alliez le rejoindre à l'hôtel Windsor, il dit...

— Merde! Pour qui se prend-il, celui-là? Il veut que j'aille le rejoindre à l'hôtel : un dîner-bénéfice peut-être? Il y a une chatte que j'aimerais bien... ciel apache...!

Denys Paquin s'interrompit brusquement, assailli par un pressentiment très net.

L'agent Bouchard en profita pour achever son message :

— Lieutenant, il a insisté pour que vous y emmeniez le sergent J.-F. Caron. Le directeur de la sûreté et M. Jim Gentile seront également présents. Le député du comté, M. Jean Tourangeau, a été retrouvé, probablement assassiné, dans une chambre d'hôtel!

Il ne s'agissait plus d'une simple appréhension maintenant, l'agent Bouchard l'avait rudement instruit. Le voilà qui était parfaitement avisé.

— Je devine le reste : ils supposent qu'il s'agit d'un autre exploit de *Sexy Sadie*? demanda le lieutenant Paquin, utilisant le sobriquet que donnait J.-F. Caron à Anna la Sanguinaire.

— Exact, lieutenant! En passant, j'ai pu rejoindre le sergent Caron; il sera dans votre bureau dans dix minutes au max. Autre chose, lieutenant?

— Non merci, Bouchard.

Denys Paquin reposa tout doucement le combiné qu'il avait eu une envie folle de lancer sur le mur! Tout s'écroulait : sa thèse des trois petits singes tombait en lambeaux à la face du monde. Pourtant, il restait persuadé qu'elle était valable; Gentile, Robillard et son assistant Caron en étaient également convaincus : les messages ne pouvaient indiquer plus clairement les mobiles. Et il avait pressenti que *Sexy Sadie* ne s'arrêterait pas là. Pourquoi? Cela, il ne le savait toujours pas, mais il avait vu juste. Cependant, sa théorie de la gentille jeune femme se transformant en pute sadique et se cachant dans une famille de bons vieux quelque part en ville ne tenait plus : elle venait de frapper à Trois-Rivières. Foutaises! Il naviguait à contre-courant de sa propre logique : elle en avait fini avec les trois petits singes. Cela il le savait, tous étaient au courant — du moins les gens mêlés à l'affaire — et il avait également prévu qu'Anna frapperait de nouveau, sans toutefois connaître les motifs. Le mobile devait encore être la vengeance et pour les mêmes raisons. Il fallait donc déterrer le passé du député Tourangeau et en faire l'autopsie détaillée. Exhumer ses antécédents judicaires, ses emplois précédents, sa vie amoureuse, tout, absolument tout!

Mais là, à cette minute précise, Denys Paquin désespérait réellement : il ne doutait pas qu'Anna eût perpétré un quatrième meurtre — on ne l'avait pas convoqué d'urgence à Trois-Rivières pour le plaisir — mais sa désespérance n'émanait pas de ce fait, bien au contraire! Elle découlait du fait qu'à partir de ce moment — cela avait sans doute commencé avec l'affaire Tourangeau, il le subodorait — les meurtres commis par Anna ne seraient plus reliés entre eux par un dénominateur commun : l'injustice ou la justice non rendue. Non, dorénavant, elle exécuterait tous ceux qui avaient posé la main sur elle ou qui avaient tenté de le faire. Cela risquait de constituer un bon paquet de moribonds en puissance — vu son physique affriolant, plus, envoûtant —, et tous les services de police du pays ne savaient absolument rien du passé récent d'Anna! Ils ne pouvaient tout de même pas publier dans les journaux un portrait pleine page de la criminelle avec la légende : SI VOUS AVEZ TOUCHÉ À CETTE FEMME DANS LES DOUZE DERNIÈRES ANNÉES, VOUS ÊTES UN HOMME MORT ! Donc, tout ce qu'ils pouvaient faire, c'était de trouver, après coup, pourquoi Anna avait tué ! Réjouissante perspective ! Ils devaient donc la retrouver dans la ville de Québec, son *home*, et son hypothèse de la famille d'accueil tenait toujours. Mais bon Dieu ! que l'assiette était large !

En plus, deuxième cause de sa désolation, à Trois-Rivières il ne pourrait plus mener l'enquête à sa guise. Pis, peut-être la lui enlèverait-on complètement? Et qui seul détenait effectivement ce pouvoir? Pas les ministres, ils ne détenaient aucun pouvoir réel. Ils ne savaient que donner leur servile assentiment (ignorant ce qu'il convenait de faire devant une telle situation). Seul Jim Gentile pouvait. M.Gentile, le fédéral responsable du département des *Serial killers !* Et qui, au contraire, pouvait la lui laisser, cette enquête, et avec des pouvoirs accrus? Jim Gentile !

«Prions le Sacré-Cœur», pensa Denys Paquin.

J.-F. Caron entra en Ostrogoth, sans frapper.

— Prêt, Denys. J'ai pris l'initiative d'appeler Yannick Caumartin. C'est le meilleur conducteur de toute l'escouade et peut-être de la province. Nous avons également droit à une escorte ; ça va monter à Trois-Rivières, en p'tit Jésus !

Denys Paquin ne répondit pas. Il n'y avait rien à répondre de toute manière. Encore une fois, J.-F. Caron avait tout pré-arrangé, et de la bonne façon. Une centaine de kilomètres séparait les deux villes, ils arriveraient donc à l'hôtel Windsor dans moins d'une heure. Qu'on lui ait octroyé un chauffeur et une escorte lui plaisait bien : il pourrait discuter en toute tranquillité avec son précieux second et sincère ami, Jean-François Caron (qu'il surnommait affectueusement l'Irlandais vu ses origines : sa mère était née Barber à Kildare, République d'Irlande), pendant quelques minutes. Ils connaissaient tous deux l'affaire sur le bout des doigts mais n'élaboreraient aucune tactique nouvelle. Inutile ! Tout dépendait de la décision de Jim Gentile. Denys Paquin espérait.

Aussitôt atteinte la sortie d'autoroute qui conduisait à Trois-Rivières, une autre escorte de voitures de police les guida jusqu'à l'hôtel Windsor. Arrivés à destination, Denys Paquin et J.-F. Caron suivirent les policiers municipaux au pas de course, à travers l'essaim de curieux et de journalistes qui bourdonnait aux abords de l'immeuble, jusqu'au bureau du propriétaire de la chaîne des hôtels Windsor transformé pour l'occasion en forteresse électronique. Le chef de la police locale, Lucien Villemure, le directeur de la Sûreté provinciale, James Buchanan, et Jim Gentile les y attendaient déjà. Villemure prit la parole le premier :

— Bienvenue, messieurs. Je ne vous importunerai pas avec les formalités ; sachez simplement que vous pouvez disposer de nos ressources humaines et matérielles. Demandez et vous recevrez. Je vous laisse et je m'en retourne à mon bureau. Vous pouvez entrer en communication avec moi, à tout moment, au numéro que j'ai laissé à M. Gentile. Je vous demande simplement de me tenir informé ; ainsi, je pourrai faire la seule chose qui peut vous être d'une quelconque utilité : tenir la presse occupée ! Au revoir, messieurs, et merde ! si cela peut vous aider.

Aussitôt le chef Villemure sorti, Jim Gentile s'empressa de faire le point, les autres policiers présents n'étant pas tellement habitués à rencontrer des chefs de police avec un tel esprit d'abnégation :

— Mon département supervise maintenant toute l'enquête. Avec l'assassinat d'un député, qui s'ajoute à ceux d'un juge, d'un procureur et d'un policer, le ministre de la Justice n'a pas hésité un seul instant ; il pouvait même invoquer la loi de la sécurité nationale ! Pendant son déroulement et exclusivement dans le cadre de cette enquête, toutes les forces de police du pays ne recevront d'ordre que d'une seule personne :

moi. Et je ne suivrai moi-même les directives que d'une seule personne : vous, lieutenant Paquin, scanda Jim Gentile tout en pointant le doigt vers Denys Paquin.

Il reprit :

— Lieutenant Paquin, même si nous n'avons pas coincé *Sexy Sadie*, il faut reconnaître que vos déductions sont absolument remarquables. Vous continuerez donc à cogiter dans votre bureau et votre adjoint, le sergent J.-F. Caron, et le mien, Adam Purcell, dirigeront les opérations sur le terrain selon les instructions que je leur fournirai, ces mêmes instructions découlant des informations déductives que vous m'aurez refilées. Donc, à partir de tout de suite, vous êtes la tête, je suis le tronc et les ramifications partiront de nos deux branches maîtresses : Caron et Purcell. Je dois cependant vous instruire d'un fait important, pour moi du moins. Lieutenant Paquin, monsieur le directeur Buchanan, sergent Caron, le service que je dirige coûte des millions de dollars chaque année aux contribuables canadiens, l'équipement et le personnel sont ce qu'il y a de mieux, alors ma tête est sur le billot. Si nous n'aboutissons pas bientôt à un résultat concret, l'arrestation d'Anna la sanglante..., je vais me retrouver aux archives jusqu'à l'âge de la retraite, et cette perspective ne m'enchante pas du tout! Je suis convaincu que vous êtes les mieux placés pour me comprendre, messieurs : *we've got to get her*! Allons maintenant inspecter les lieux du crime. Tout est clair, messieurs?

— *Crystal clear, Jim! Let's go.*

Les quatre hommes sortirent du «bureau-forteresse» et furent aussitôt accueillis par une batterie de flashes et un tohu-bohu indescriptible de questions, remarques narquoises, quolibets, etc., émanant des journalistes, mais également d'une foule de curieux qui avaient réussi à franchir les mailles du filet de sécurité formé par les policiers. Ceux-ci réussissaient toutefois à les maintenir à respectueuse distance des quatre «officiels». Ils parvinrent sains et saufs au quatrième étage. Celui-ci avait été depuis longtemps «nettoyé». À l'exception des policiers de faction, absolument personne ne s'y trouvait et nul ne viendrait les déranger non plus! Ils arrivèrent bientôt à la chambre 414, le lieu!

Denys Paquin entra le premier et, instinctivement, chercha du regard la coiffeuse ou la commode ou... qui ferait office de miroir-tableau-noir-boîte-aux-lettres. Il repéra ce à quoi il s'attendait : le message. Comme pour les trois premiers meurtres, de grosses lettres, fort probablement tracées à la main avec du sang, indiquaient le motif de l'exécution sommaire : T'AS PAS DE CŒUR. Le lieutenant Paquin se retourna lentement vers le lit en sachant intuitivement ce qui s'offrirait à sa vue : un macchabée, le cœur transpercé d'un couteau ou...? Son intuition ne l'avait pas trompé : un grand poignard au manche recourbé, un genre de kriss, transperçait la poitrine de l'homme qui gisait là, livide et déjà raide comme un clou!

— À moins d'une extraordinaire coïncidence, nous avons sûrement affaire à une autre vendetta de Mlle Guay : elle a encore signé son crime, déclara J.-F. Caron, en rompant le silence.

— Rien n'a encore été touché, Denys. Comment voulez-vous que nous procédions? demanda Jim Gentile.

— J.-F., demande aux enquêteurs locaux de ramasser tout ce qu'ils peuvent : indices, empreintes, cheveux, etc., et d'envoyer tout cela à nos labos. Je suppose que vous ne trouverez, comme d'habitude, que les empreintes de la victime et les cheveux de Mlle Anna. Au moins, cela nous confirmera qu'il s'agit bien d'elle. Jim, veille à ce que ton équipe dissèque le dossier Tourangeau, je n'ai pas besoin de te donner de détails? Monsieur Buchanan, pouvez-vous vous occuper de la presse dès qu'on aura confirmé que l'auteure du meurtre est bien *Sexy Sadie*, euh... Anna Guay?

Denys Paquin s'arrêta, comme s'il avait perdu le fil de sa pensée. Puis il reprit, absent :

— Monsieur Buchanan, donc, rédigez vous-même l'article de presse en spécifiant bien qu'il émane d'une escouade spéciale conjointe des forces de police du Canada et en exigeant, j'ai bien dit exigeant, que le portrait-robot d'Anna Guay apparaisse à la une de tous les journaux de la province et du pays. Je suis en droit d'exiger cela, Jim?

— Tout ce que tu voudras, Denys, j'y apposerai le sceau du fédéral. Si M. Buchanan n'y voit pas d'objection, nous donnerons ensemble une conférence de presse à des journalistes triés sur le volet et nous verrons à ce que l'article soit accompagné du portrait-robot en première page de tous les quotidiens du pays. Autre chose, Denys?

— Lorsque tes subordonnés scruteront le passé du député Tourangeau, dis-leur bien de porter une attention toute particulière aux femmes de sa vie : épouses, maîtresses, collaboratrices, employées présentes ou passées, toutes! Le moindre petit motif de vengeance, même insignifiant en apparence, devra être mis au jour et scrupuleusement fouillé.

Denys Paquin avait hésité lorsqu'il avait prononcé le nom de la présumée coupable de ces meurtres. Il se fondait sur des déductions et n'avait finalement aucune preuve pour inculper Anna Guay! Les cheveux retrouvés sur les lieux des assassinats appartenaient à une seule et même personne, mais tant qu'ils n'auraient pas mis la main au collet d'Anna Guay, ils ne pourraient affirmer que c'étaient les siens! Elle possédait de bonnes raisons de vouloir se venger, mais cela ne constituait pas une preuve non plus! Bien sûr, tout se tenait et nul ne pouvait contester la logique de son hypothèse, mais en faisant publier le portrait-robot de cette femme, il l'accusait publiquement de meurtre alors qu'il ne détenait absolument rien pour prouver ce qu'il avançait!

Pour Denys Paquin, l'identité de l'assassin ne faisait aucun doute : elle avait réellement signé son crime, au propre et au figuré. Tous les rapports, analyses, enquêtes seraient inutiles, en fin de compte! Il cherchait par-dessus tout à tenir tout son monde occupé, les policiers autant que les journalistes, car, il le sentait bien, une exaspération fébrile, proche de la panique, les gagnait tous. Au moins la population, elle, ne serait pas atteinte par l'affolement ou l'épouvante : la meurtrière en série s'attaquait à des cibles désignées et non à des quidams, sans que l'on sache trop pourquoi. Les bonnes gens pouvaient dormir en paix et vaquer à leurs occupations sans s'inquiéter le moindrement du monde : seules des têtes d'affiche étaient visées et pas n'importe lesquelles. Par contre, d'autres éminents personnages devaient avoir le sommeil beaucoup plus léger! Si cela pouvait les déranger juste assez! Denys Paquin n'approuvait en rien les gens qui se faisaient justice eux-mêmes. La société dans laquelle il vivait avait promulgué des lois et instauré un système judiciaire, dont il faisait partie, pour qu'elles soient respectées, et il fallait s'y tenir, sinon tout deviendrait anarchie et chaos! Cependant, il réprouvait encore plus profondément les abus des personnes qui détenaient des postes de pouvoir ou de prestige. Les élus, les magistrats, les policiers, les professeurs, les pères de famille dépravés, corrompus et pervers qui abusaient de leurs privilèges et profanaient les droits sacrés des gens qu'ils se devaient de protéger, ceux-là devaient payer cher, très cher pour leurs exactions! Il n'avait pour eux aucune indulgence; Anna de toute évidence non plus! Mais, frustrée par le manque d'efficacité et de probité des lois civiles et criminelles ou des gens qui devaient les appliquer, elle avait sombré dans le délire meurtrier et cela non plus, il ne pouvait sûrement pas l'approuver! Il devait la retrouver absolument. C'était comme si sa propre vie en dépendait!

* * *

Le lieutenant Paquin était de retour à son bureau. Il avait plus ou moins reçu l'ordre de s'y terrer et cela faisait bien son affaire : nul n'oserait plus l'importuner et il pourrait réfléchir tout à son aise. Il se demandait s'il ne devait pas se mettre à l'assemblage d'un casse-tête plutôt qu'à la solution de mots croisés : la situation présente ressemblait beaucoup plus à un puzzle qu'à une énigme. Tous les morceaux nécessaires à l'assemblage du tableau se trouvaient étalés devant lui. Il connaissait même l'identité du meurtrier, de la meurtrière — vraiment, ce féminin sonnait faux — et cela depuis le tout début ou presque. Toutefois, comme l'avait inconsciemment lancé le ministre Robillard, on aurait dit qu'ils avaient affaire à une succube, une diablesse s'incarnant dans le corps d'une femme pour perpétrer ses crimes sataniques ! Il avait rencontré de tous les types de criminels depuis ses débuts dans la police, mais pas des esprits ! *Bullshit* ! Il devait garder les deux pieds bien plantés sur terre et la tête froide ; les démones qui prenaient forme humaine, cela n'existait que dans les cerveaux dérangés des inquisiteurs espagnols et dans les films d'horreur classés 6 ou 7 : pauvres ou minables ! Voilà comment il se sentait. Minable, en ce moment ! Essayer de reporter son incapacité à résoudre le problème sur le dos du surnaturel, alors que la coupable rôdait, à proximité peut-être et en toute liberté ! Mais justement, elle n'errait pas çà et là, cela, il l'avait déjà compris. Anna Guay se cachait dans un terrier imprenable et n'en sortait probablement que pour accomplir son œuvre, et peut-être aussi pour gagner sa croûte ? Et encore là, la deuxième partie de son hypothèse lui apparaissait de moins en moins valable. Si elle passait une partie de ses soirées et de ses nuits à faire la pute pour subvenir à ses besoins et à ceux de ses vieux, quelques personnes l'auraient aperçue. Et avec le physique dont la nature l'avait dotée, elle ne pouvait pas passer inaperçue. Si elle exerçait la profession, ce ne devait être que très occasionnellement et toujours sous un déguisement quelconque, bien que le cas du sergent Adam tendît à prouver le contraire. Non, il faisait fausse route au moins sur un point : elle devait avoir encore mieux qu'une famille de vieux parents adoptifs comme gîte ! Mais quoi ? Où ?

Le lieutenant Paquin retira son veston après avoir ôté ses stylos de la poche intérieure et, fait rare, enleva également son chandail à col roulé noir, un des sempiternels cols roulés noirs ou argent qu'il portait tous les jours malgré les rares rappels à l'ordre de son supérieur immédiat. Le mot d'ordre circulait à tous les niveaux, du poste 13 au ministère de la Justice : mieux valait lui laisser porter ses traditionnels jeans couleur argent et ses cols roulés noirs ou argent que de déranger les vieilles manies du plus brillant cerveau policier de la province car, tous le savaient, Denys Paquin n'hésiterait pas une seule seconde à remettre sa démission s'il se sentait lésé ou, pis, brusqué dans ses habitudes et ses droits. Il ne garda donc qu'un t-shirt décoré du logo des LA Raiders, noir et argent, et sortit du tiroir du bas la grande enveloppe brune recelant les grilles de mots croisés classés TRÈS DIFFICILE. Cela lui permettrait d'attendre tranquillement l'arrivée de J.-F. Caron. Étant donné qu'il ne l'avait pas invité à se présenter à une heure précise, il se pointerait lorsqu'il posséderait tous les éléments intéressants, les éléments qui l'intéressaient, lui, Denys Paquin! J.-F. ne l'emmêlerait pas avec des détails superflus et inutiles. Il le connaissait si bien, ce cher vieux J.-F., l'indispensable et combien efficace J.-F. Caron!

Il mit longtemps avant de se concentrer vraiment sur ses mots croisés. Tout son attirail s'étalait devant lui sans qu'il parvienne à fixer son attention sur celui-ci. Il laissa plutôt son esprit et son regard «divaguer» dans la pièce, que certains auraient qualifiée de loft plutôt que de bureau. Sise au sous-sol de l'édifice et percée de fenêtres du côté sud seulement, elle s'étendait sur plus de 150 mètres carrés! Non que son grade lui permît d'exiger un local aussi spacieux, encore moins qu'il affectionnât la somptuosité, non, il avait besoin d'espace, de beaucoup d'espace. Le plancher de ciment avait été recouvert d'une épaisse moquette de fibres synthétiques pour couper l'humidité et les panneaux de gypse peints blanc-beige. À l'exception des traditionnels classeurs métalliques gris, Denys avait lui-même apporté le reste du mobilier : deux futons qui pouvaient servir aussi bien de divans que de lits — il dormait parfois au bureau — deux berceuses, une chaîne stéréo et des disques, une bibliothèque bien garnie, un immense bureau de travail et un fauteuil pivotant en cuir noir. La direction avait accepté de lui installer une salle de bains dans le coin nord-ouest. Sauf le mur nord, qui était recouvert de deux affiches géantes de Ken

Stabler et de Jack Tatum (deux ex-Raiders d'Oakland), le dernier curieusement surnommé «*The Assassin*», tous les autres murs étaient presque complètement couverts de reproductions de peintures de Dali et de Monet ainsi que d'affiches de Toulouse-Lautrec, plus d'une demi-douzaine de chacun, et d'un Carpaccio : *Saint Georges combattant le dragon*. Il ne put réprimer un petit sourire narquois. Se narguant lui-même, il dit à voix basse :

— Saint Denys Paquin combattant le dragon!

Son regard s'attarda ensuite sur le *Christ de saint Jean de la Croix* et son esprit s'envola vers d'autres sphères célestes. Toutefois, sa folle du logis le ramena à contre-courant au cœur de son problème : des images de carmélites lui tournaient dans la tête et il ne pouvait les en chasser! Pourquoi cette idée saugrenue selon laquelle Anna aurait pu se réfugier dans un couvent ne voulait-elle pas le quitter? L'idée n'était pas seulement absurde mais absolument abracadabrante : une fois entrée, il fallait quasiment une permission du pape pour en sortir en vie! Et même s'il s'agissait d'un couvent de nonnes ordinaires, pas des cloîtrées, les autres religieuses se seraient sûrement aperçues de quelque chose d'anormal et le fait se serait éventé. Des religieuses n'abritaient quand même pas une psychopathe criminelle en toute connaissance de cause!

Le lieutenant Paquin fut brusquement tiré de sa profonde crise de mysticisme religieux par quelques coups, pourtant discrets, à sa porte. Le retour sur terre le traumatisa tant qu'il lâcha, sans hésitation et sans même y songer :

— J'ai dit de ne pas me déranger, calvaire!

La porte s'entrouvrit doucement et J.-F. Caron présenta quand même un bout de sa tronche :

— Excusez-moi, lieutenant Paquin, je peux entrer? Sergent Caron.

— Laisse faire les excuses et les lieutenants, J.-F. et viens t'asseoir, je vais préparer du café. C'est moi qui m'excuse, J.-F., j'étais rendu quelque part au royaume des cieux.

— Où?

— Laisse tomber, J.-F. On va prendre un p'tit café sans dire un mot, question que je me retrempe dans la pénible réalité terrestre, puis tu me refileras tes précieuses informations. Dac?

— À vos ordres, patron.

Et les deux hommes rivèrent leurs regards l'un à l'autre pendant qu'un large sourire complice s'emparait de leur visage.

— Une larme de Doer's avec ça, l'Irlandais? Une fois n'est pas coutume!

— *Sure, Frenchy*!

Ils s'affalèrent côte à côte sur l'un des futons pour siroter leur café aromatisé.

Ils étirèrent leur deuxième café, pourtant déjà allongé, sans échanger une seule parole. Cette façon d'agir s'était établie au fil des ans lorsqu'ils pataugeaient dans une affaire complexe. Ils faisaient plus ou moins le vide dans leur cerveau, réservant le plus d'espace possible pour le cas qui les préoccupait à ce moment-là. Utilisant eux-mêmes des termes d'informaticiens, ils disaient alors qu'ils «nettoyaient leur mémoire vive» de façon que les opérations soient exécutées sans anicroche et avec célérité.

Denys Paquin se leva très lentement, saisit les tasses de café vides qui reposaient sur la petite table placée devant eux et s'en fut les rincer et les ranger sur le comptoir de la cuisinette. Lorsqu'il revint, il s'installa derrière son bureau, faisant maintenant face à son collaborateur et ami :

— Déballe-moi tes informations, J.-F. Malgré tout le respect que je te dois et même en connaissant l'acharnement que vous avez mis, toi et les autres enquêteurs, à sortir tout ce qui pourrait nous être utile, je ne crois pas que cela nous serve beaucoup dans l'avenir! Pas vrai?

— Tout à fait exact, Denys! Premièrement le rapport du labo : évidemment, ce sont bien les cheveux d'Anna qui ont été découverts dans la chambre, ce qui confirme l'identité de l'assassin. Bien entendu, des cheveux noirs ont aussi été retrouvés : ceux-là doivent provenir de la perruque qu'elle portait, puisque ce sont les mêmes que ceux qu'on a ramassés dans le cas de Jules Riopel. Je crois que je peux laisser tomber le reste; tu as déjà deviné qu'il n'y avait rien de nouveau. Deuxièmement, avec la panoplie d'ordinateurs haut de gamme dont nous disposons, gracieuseté du département Gentile, nous avons obtenu une tonne de renseignements sur Tourangeau et vitement! Je te fais grâce des quelque 32 pages de détails, tous aussi pertinents les uns que les autres, pour en arriver à ce qui nous intéresse : le mobile. Eh bien! nous l'avons! Anna Guay a travaillé pour le sieur Tourangeau, il y a dix ans maintenant, pendant cinq semaines, et a été renvoyée pour ABSENCES RÉPÉTÉES NON MOTIVÉES. J'ai rencontré et personnellement interrogé une vieille secrétaire au service de Tourangeau et Associés et qui y travaillait à l'époque. Lorsque je lui ai montré le portrait-robot et les photos datant du secondaire d'Anna — elle n'avait pas dû changer beaucoup entre-temps — elle a cru se rappeler... De toute façon, elle se souvenait que : Mᵉ Tourangeau avait le don d'embaucher des secrétaires adjointes incompétentes et vulgaires, tout juste bonnes à se faire les ongles et à jouer les séductrices. Il n'avait vraiment aucun talent pour reconnaître une bonne secrétaire d'une nullité et bla-bla-bla... La vieille dame, car c'en est maintenant une, n'a jamais flairé les réelles intentions de son patron : il engageait de jeunes secrétaires les unes après les autres, toutes aussi jolies qu'incompétentes, les «essayait» et les jetait après usage! Sur une période de trois ans, entre 1980 et 1983, il en a embauché et renvoyé 21. Vraiment pas chanceux avec ses nouvelles secrétaires! Le tout a cessé brusquement au début de 1984 et je crois que nous en avons trouvé la raison : une demoiselle Saint-Georges l'a accusé de harcèlement sexuel. La chose ne s'est cependant jamais rendue au procès. Mᵉ Tourangeau a payé, inscrit PÉNURIE DE TRAVAIL sur son formulaire de cessation d'emploi et l'a fortement recommandée à un de ses neveux qui ouvrait alors une étude de notaire. Le fait s'est su «à travers les branches », pendant la campagne électorale du futur député Tourangeau. Probablement que l'organisation de l'autre parti a fait lever le lièvre. Où ils ont pêché ça? Fouille-moi! Tourangeau a nié les allégations et Mlle Saint-Georges itou! Toutefois, lorsque je l'ai rencontrée chez elle et que je lui ai expliqué la gravité du cas — un quatrième meurtre commis par une même personne —, lui promettant bien que les informations qu'elle me fournirait ne serviraient qu'à la police et à elle seule, elle a vidé son sac. Tout ce que les « dénigreurs politiques » du candidat Tourangeau ont avancé durant sa campagne était vrai. Celui-ci lui a versé 10 000 dollars en liquide pour qu'elle ne le poursuive pas en justice et lui a garanti un emploi ailleurs. Pouvait-elle expliquer la fuite? D'une seule manière : son *ex-chum* militait et travaillait dans l'organisation du parti adverse et elle lui en avait déjà glissé un mot, comme ça, en toute innocence. Confidences sur l'oreiller, comme on dit! Donc, Denys, M. Tourangeau batifolait très certainement souvent avec ses secrétaires de passage. Au moins une d'entre elles ne l'a pas pris et une autre l'a tout bonnement exécuté. Il est à souhaiter qu'Anna n'ait pas été embauchée comme secrétaire de passage par beaucoup d'employeurs aux mains chercheuses ou à la queue fébrile, car nous risquons de nous retrouver avec une belle collection de cadavres! Jusqu'ici, nous avons pu déceler le mobile de chacun des meurtres, mais il faut faire mieux, n'est-ce pas?

— Ouais, J.-F., je le sais. Nous découvrons tout, après coup. Nous sommes coincés, pris dans un cul-de-sac, mais ne désespérons pas ; Anna Guay circule dans une voie à sens unique, elle aussi, et elle ne peut pas reculer! Nous pouvons presque nous toucher, je le sens. Et plus ça va, plus Mlle Guay prend des risques, sans doute sans le savoir, et c'est tant mieux pour nous. Nous avons failli la cueillir avant ou pendant le troisième meurtre, notre travail d'affichage a également presque réussi à la faire capturer, avant ou pendant son quatrième règlement de compte. Bon maintenant, J.-F., il nous faut trouver son repaire et mettre fin à ses activités de représailles. Je crois que ma dernière hypothèse va te surprendre !

— Fin prêt, *boss*. Mais pour me surprendre, Denys, ça me surprendrait ! répondit J.-F. Caron, un petit sourire sarcastique à demi dissimulé sous son abondante moustache rousse, satisfait de son calembour.

Denys Paquin lui rendit son sourire, visiblement content qu'un ami aussi sincère soit également son bras droit. Il reprit :

— O.K., J.-F. Avant de te dévoiler ma dernière trouvaille, je vais te donner mes directives générales que tu vas répéter à M. Gentile. D'abord, demande-lui d'organiser deux importantes équipes de ratissage : une pour recommencer la tournée des madames et une autre pour repérer les couples âgés vivant avec une de leurs filles. Je ne crois pas qu'il soit vraiment nécessaire d'instruire Gentile de quelque façon mais, juste au cas, suggère-lui donc en sourdine de composer la première équipe avec des joueurs plutôt *tough*, des petits Lee Van Cleef. Ils ne doivent pas hésiter à brasser un peu les putes, souteneurs et madames ! Si une seule de ces personnes sait quoi que ce soit au sujet d'Anna et nous l'a caché une première fois, il faut qu'elle se mette à table cette fois-ci. M. Gentile et ses fédéraux détiennent des pouvoirs quasi illimités, alors qu'ils les utilisent à bon escient. Vu ?

Le lieutenant Paquin s'interrompit un moment, comme s'il attendait une réponse, mais ce n'était pas le cas. J.-F. Caron n'avait rien à répondre ni à demander, et Paquin le savait pertinemment. Il enchaîna rapidement :

— Pour la formation de la deuxième équipe, celle qui s'occupera d'interroger les couples âgés, dis-lui de trier ses fiches de personnel et d'en extraire celles des agents qui auraient une vocation de Schweitzer plus que de Schwarzenegger. Il ne faut effrayer ces bonnes vieilles gens d'aucune façon, car si elles sentaient qu'on les menace ou qu'on veut faire du mal à leur progéniture, elles pourraient devenir beaucoup plus farouches que n'importe quel petit proxénète. Si Anna Guay, comme je le pense, ne travaille qu'une ou deux fois par mois comme pute de luxe et qu'elle a déjà sa clientèle, elle doit sortir de chez elle seulement en soirée ou la nuit, prétextant se rendre au travail ou aller au cinéma, à la bibliothèque, dans les musées, mais pas dans les endroits où elle pourrait être reconnue : bars, restaurants, discothèques, clubs de conditionnement physique, etc. Enfin, J.-F., tu demanderas à M. Gentile si ses services sont parvenus à localiser ou mieux, à arrêter Patrick Guay. Je n'ai reçu aucune nouvelle à ce sujet, rien du tout, et c'est capital. Alors, répète-lui et insiste : je veux que les fédéraux retrouvent, arrêtent et gardent au frais le jeune Guay sous le prétexte qu'ils voudront. Moi, je m'en fous : il me le faut. Ça va jusque-là, J.-F. ?

— Ça ne peut pas être plus clair, Denys. M. Gentile va recevoir tes instructions de vive voix et j'ai bien dit «vive». Entre Irlandais, nous devrions être en mesure de nous comprendre sans casser de vaisselle !

— Merci, J.-F. Mais le pire s'en vient : je ne t'ai pas encore parlé de mon hypothèse et je crains bien que même toi, tu en restes estomaqué.

Le lieutenant Paquin fit une pause et inspira profondément. Il n'aurait pu être plus solennel, et tel le premier ange de l'Apocalypse, il sonna de la trompette :

— J.-F., tu vas définitivement croire que je suis fêlé ou que des éléphants jouent aux quilles dans mon grenier. Depuis quelque temps déjà, une idée, plus : une chimère, me trotte dans le cerveau. Pire, ce maudit fantasme accapare tout mon esprit. Je réfléchis à quelque chose, j'élabore un schéma, je me construis un organigramme fonctionnel et, soudain, tout se met à fondre, à dégouliner, à se délaver, et cette satanée image prend toute la place, revêt toutes les couleurs...

Denys Paquin s'arrêta, fixant à l'infini un point distant de plusieurs années-lumière. Il ne semblait même plus habiter la pièce ; son corps oui, mais pas son esprit. Ses yeux apercevaient une vision extraordinaire ! Après quelques minutes qui lui semblèrent des jours, J.-F. Caron, n'en pouvant plus, tenta de « récupérer » son patron :

— Denys... *by George... you can trust me...* Tu peux me dire n'importe quoi, tu le sais, on se connaît depuis l'école secondaire. Moi, je le sais que tu n'es pas... Que tu ne penses pas comme nous autres. Tu imagines des affaires qui, pourtant — les autres s'en aperçoivent plus tard —, collent parfaitement à la réalité et tu penses à des choses que nul autre au monde, nul que j'aie connu en tout cas, ne pourrait imaginer. T'es unique, Denys... et il y a juste moi qui vais savoir !

Son ami de toujours l'interrompit, en sortant de son univers transcendant, et redevenu brusquement terre à terre, presque brutal :

— Justement, J.-F., il faut absolument que les personnes que tu vas choisir pour effectuer le boulot que je vais te demander de faire soient plus hermétiques et plus secrètes que le grand Hermès Trismégiste lui-même, le trois fois grand et le trois cents fois impénétrable ! Notre vie en dépend presque, J.-F. Nous : toi, moi et ce petit groupe, allons mener une enquête à part ! Je crois, ou plutôt le cauchemar qui m'assaille me pousse à croire que notre chère Anna se terre dans un couvent et que c'est de là qu'elle part pour ses raids et là qu'elle retourne pour panser ses plaies. Qui pourrait trouver mieux comme tanière ? Alors J.-F., forme une équipe qui se chargera de surveiller les allées et venues des nonnes des couvents et des monastères de la ville, jour et nuit. La charge de travail peut sembler incommensurable, mais elle se résorbera ; nous possédons quand même une bonne description d'Anna, ce qui éliminera vite les vieilles ratatinées et les « mètre cinquante » et certaines nonnes cloîtrées, moniales ou je ne sais quoi, qui ne sortent absolument jamais de leurs quatre murs. Donc, aussitôt que vous aurez identifié les religieuses qui ressemblent à Anna et qui sortent en fin d'après-midi ou le soir, le piège sera en place. Un terrier de fouine a l'avantage de la dissimuler à la vue de ses ennemis, mais une fois que le prédateur l'a localisée, l'avantage passe de son côté puisqu'il n'a plus qu'à la cueillir dans son trou !

Pour quelqu'un que les trouvailles de son patron ne risquaient pas de surprendre, le sergent Caron fut tout à fait ahuri, médusé ; la femme de Loth, après avoir vu le champignon atomique de Sodome, fut sûrement plus expressive !

— Alors, J.-F., tu veux appeler Gentile et lui demander de me faire enfermer ?

— Mais Denys, ça se peut pas, une nonne assassine, psychopathe !

— En plein ça, J.-F., tu l'as dit : psychopathe. La petite nonne Anna se comporte sans doute tout à fait normalement intra-muros. Mais lorsque le sang l'appelle, elle sort de sa tanière et se transforme en tueuse sadique ou plutôt en vengeresse sans pitié. Il ne faut pas oublier qu'elle élimine des gens qui ont brisé sa vie, qui l'ont tuée elle ! Du moins, c'est ce qu'elle croit intimement. Et après son père, ses frères, les représentants de la justice, elle souhaite maintenant exécuter tous les salauds !

— Ouais, ça se tient, Denys, mais tu ne veux quand même pas que nous investissions les lieux et...

— Stop, stop, stop, J.-F. ! Tout doux ! J'ai dit de surveiller les couvents le plus discrètement possible et de voir si une personne, pas nécessairement une religieuse, ne ferait pas de petites sorties douteuses le soir, et rien d'autre. Vous n'entrez pas, vous n'arrêtez personne, vous ne leur adressez pas la parole ; je ne veux même pas qu'elles puissent se douter qu'elles sont surveillées, que vous épiez leurs entrées et leurs sorties. Je veux également que personne d'autre ne vous remarque. Déguisez-vous en caméléons, en branches d'arbres, en taupes, mais qu'on ne vous voie pas ! Notre seul atout consiste en ce que notre enquête reste absolument et parfaitement *under-ground* ; c'est notre seule chance de piéger Anna et de ne pas se faire auparavant écarteler vivants par les autorités civiles, religieuses et policières ! Je te l'ai dit dès le début et, pour une rare fois, je te le répète : les membres de ton équipe doivent se faire discrets et silencieux comme... comme des carmélites! De mon côté, je commencerai très discrètement à prendre des informations sur la procédure à suivre pour pouvoir entrer là-dedans légalement ou... Je ne crois pas que vous allez repérer la fouine tout de suite, si mon hypothèse est autre chose qu'une lubie, ce qui me donnera le temps de passer par des voies non officielles. Dès que nous aurons un début de réussite, un doute raisonnable, je mettrai Gentile au parfum et il sera bien obligé de suivre la procession! De toute façon, je ne crois pas qu'il ruera dans les brancards : ce Gentile est tout un «étourneau» lui-même. Mais nous devons mettre la main sur un bout du fil d'Ariane avant d'entrer dans le labyrinthe, sinon je suis mûr pour la chambre capitonnée!

— Mais veux-tu me dire où tu es allé pêcher cette idée-là, cette fois-ci, Denys?

— *Crosswords, man, crosswords!*

— Pas encore! Mais quand même, explique un peu.

— Cela suit un cheminement logique : la gueuse ne tire ses revenus d'aucune source officielle et personne ne la connaît. Il faut qu'elle soit une prostituée professionnelle pour lever des clients comme elle le fait, mais encore là, personne dans le milieu ne lui a jamais vu la frimousse. Alors elle travaille en solitaire et à l'occasion seulement, elle crèche donc dans un endroit vraiment peinard où la curiosité n'est pas coutume : un couple de personnes âgées sans enfants, sans autres enfants, ou une vraie crèche avec le p'tit Jésus, la Sainte Vierge et tous les anges du ciel! La question est, je pense moi-même que c'est le talon d'Achille de tout le raisonnement : comment une nonne peut-elle entrer et sortir d'un monastère à volonté ou sans être vue ou questionnée et s'évanouir pendant une journée ou plus sans que cela dérange les autres religieuses et contrevienne aux us, coutumes et règlements de la communauté?

— Ouf! Denys, tu m'étourdis! Tu ne m'éblouis pas, tu m'écrabouilles! Mais encore, crois-tu sincèrement qu'il existe un... une... *remote chance*?

— J.-F., rien dans ce cas-ci n'est normal, tout dans cette histoire est absolument abracadabrant! Alors aux possessions démoniaques, il faut appliquer l'exorcisme : cherchons le mal dans le bien!

— Arrêtez, patron, pitié, arrêtez! Je vous obéirai aveuglément si vous me servez un grand verre de Doer's, sans café s'il vous plaît.

Et les deux hommes d'éclater d'un grand rire sonore, exorcisant!

Ils burent un dernier verre de scotch et J.-F. Caron prit congé de son supérieur et ami, encore quelque peu abasourdi par sa dernière révélation. Denys Paquin, lui, se réinstalla derrière son bureau et songea à la stratégie qu'il devait élaborer : faire sortir Anna Guay de son antre, la provoquer de façon qu'il puisse la piéger en dehors de son repaire. Pour cela, il ne détenait qu'une seule carte dans son jeu : Patrick Guay, peut-être le seul homme sur cette terre qu'elle ne haïssait point! Il devait échafauder un traquenard en se servant du petit frère comme appât et il ne pouvait rater son coup : il ne bénéficierait que d'une occasion, une seule! Après, si le piège ne fonctionnait pas, elle ne sortirait sans doute jamais plus de sa tanière.

Machinalement, son cerveau assemblant déjà les éléments constituants de la trappe, il étira le bras gauche, ouvrit le tiroir du bas de son bureau et en sortit une grande enveloppe brune.

2 octobre 1995

Mère Alexandra remuait très doucement son verre de Red Grouse, l'inclinant juste assez pour que le liquide mordoré vienne en lécher le bord, puis elle l'inclinait en sens contraire jusqu'à ce que son contenu passe près de s'échapper, et elle recommençait encore et encore, et... une ou deux gouttes tombèrent sur le bois verni de son bureau; cela la tira de ses cogitations. Elle se pencha jusqu'à ce que son visage effleure la surface laquée, tira la langue et lapa la minuscule mare de whisky qui s'y était répandue. Elle se redressa mollement et ingurgita lentement la moitié du verre qu'elle tenait toujours à la main. Elle travaillait sur le dossier d'Anna : son cas occupait toutes ses pensées. Qu'elle le voulût ou non, que cela lui plût ou non, qu'elle se l'avouât ou non, hormis les sempiternels tracas financiers qui faisaient partie intégrante du quotidien du monastère, seul le cas Anna lui causait vraiment des soucis. Et, bien sûr, la visite d'Anna Bourré n'avait fait qu'empirer les choses pour leur Anna et pour toute la communauté.

Ne parvenant vraiment pas à ordonner ses idées, mère Alexandra se délesta promptement de son gréement de mère supérieure. Elle ne garda qu'un slip et une camisole, et entreprit de «transpirer» ses toxines : quarante-cinq minutes de conditionnement physique et tout rentrerait dans l'ordre. Elle se servit un grand verre de Perrier et un autre, plus petit, de Red Grouse. Ceux-ci seraient à peu près à la bonne température quand elle en aurait fini avec ses exercices. Quarante-six minutes plus tard, sous la douche, elle se fit flageller par l'eau brûlante puis par la froide, s'assécha et se rhabilla rapidement. Elle enfila la moitié du verre d'eau de source et une bonne lampée de whisky avant de poser devant elle le dossier *Anna Guay* et quelques feuilles de papier vierges. Elle inscrivit sur trois feuilles séparées, en très gros caractères, la lettre F et, au-dessous, écrivit : FABLES, FANTAISIES et FAITS. Elle mêlait encore, parfois, sa langue maternelle et celle de son père. Elle désirait effectivement y inscrire ce qu'elle considérait comme de pures affabulations de vieilles nonnes — les autres, pas elle —, ce qui relevait plus ou moins de la *fantasy* autant de sa part que du reste de la communauté, et les *hard facts*, les faits concrets et indéniables. Elle parviendrait sans doute, à la fin de son exercice, à trier de façon valable toutes ces données et à n'en conserver que les FAITS. Elle savait pertinemment qu'elle noterait des FAITS dans FANTAISIES et des FABLES dans les FAITS, mais d'avoir clairement identifié des catégories l'obligerait à mettre un peu d'ordre dans ses idées ; le tri ferait le reste du travail.

À l'arrivée d'Anna et jusqu'à sa première crise, toutes les religieuses l'avaient prise sous leurs ailes ; leurs devoirs de bonnes chrétiennes et de religieuses les y obligeaient moralement. Elles la considéraient comme un pauvre petit être sans défense, une écorchée vive qu'elles se devaient de remettre sur pied physiquement et dans le droit chemin moralement et psychologiquement. Puis, une fois qu'Anna fut réchappée, elles apprirent à connaître, à apprécier, plus, à aimer une belle jeune femme douce, avenante et douée pour l'horticulture ! La première crise, par sa violence et son étrangeté, avait terrifié à peu près tout le monde et la guérison de sœur Lucie qui s'était ensuivie avait également stupéfié et inquiété la plupart d'entre elles. Ladite guérison n'avait toutefois pas troublé toutes les religieuses de la même façon : une grande majorité d'entre elles, réaction toute «religieusement superstitieuse», avait cru que le bon Dieu avait permis qu'un ange vienne parmi elles pour les soulager des maux de ce monde mais avait auparavant décidé d'éprouver leur foi en la leur présentant sous l'aspect d'une femme déchue et détruite par le péché, le sien et celui des hommes; une femme qu'elles devaient soigner avant de mériter qu'elle ne les guérisse! Une minorité l'avait cependant perçue comme une pécheresse à jamais gâchée par le Mal, venue pour troubler leur quiétude et leur révéler qu'elles ne trouveraient pas le repos en ce bas monde. Après la première crise et par conséquent la première guérison, ce groupuscule l'avait tenue pour une succube, un démon femelle incarné! Superstition tout aussi religieuse! Cependant, après la deuxième, la troisième, la énième crise et les guérisons subséquentes, les nonnes qui craignaient pour leur âme éternelle et n'osaient approcher Anna sans se signer durent se rallier à la majorité, reconnaissant qu'elle ne pouvait qu'être un ange tombé du ciel : son «infinie» bonté, sa grâce et ses pouvoirs de guérisseuse ne pouvant lui venir du diable mais seulement de Dieu! En outre, signe infaillible, elle trempait les doigts dans l'eau bénite, se signait à chacune de ses entrées à la chapelle et communiait assidûment sans se transformer en torche humaine, ce que n'aurait pu faire un suppôt de Satan : «Bon sang ne saurait mentir»! La seule chose qui restait inchangée depuis la première attaque qu'avait subie Anna était l'épouvante, la frayeur que les crises provoquaient; seules mère Alexandra, sœur Lucie et sœur Agathe pouvaient les endurer sans vraiment craquer. Quelques autres qui parvenaient à résister tant bien que mal se réfugiaient à la chapelle et priaient le Seigneur afin qu'Anna ne meure point, et qu'elles ne deviennent pas folles...! Le phénomène se comprenait facilement : elles n'avaient jamais entendu, et sans doute très peu d'humains sur cette planète l'avaient fait, pareils cris. Ils déchiraient non seulement les tympans, mais également le cœur et l'âme.

Mère Alexandra abandonna sa plume et la remplaça par son verre de whisky à moitié plein. Comme elle le faisait souvent, elle s'amusa longuement avec le contenant, contemplant le jeu de la lumière traversant la paroi de cristal, puis le chatoyant liquide dont elle tira une petite gorgée qu'elle fit longuement tourner dans sa bouche avant de l'avaler. Elle jeta un regard nonchalant sur les feuillets de papier qu'elle venait tout juste de noircir. Elle n'avait rien trouvé de neuf à inscrire au dossier d'Anna Guay et cela n'avait pas vraiment d'importance. Elle avait griffonné ce qui lui passait par la tête pour débloquer un casier de son cerveau. Un quelconque dessein dormait quelque part dans un recoin d'un classeur de son esprit et elle ne parvenait pas à le localiser, encore moins à l'ouvrir. Le fait de mettre sur papier les idées désordonnées qui concernaient Anna lui permettait de ne pas s'éloigner du sujet en attendant que l'idée surgisse de son recoin sombre et parvienne à la lumière du jour. Elle absorba une autre petite gorgée de whisky qu'elle fit encore tourner dans sa bouche avant de l'avaler, la fit suivre d'une bonne rasade de Perrier, claqua la langue bruyamment et reprit sa plume.

Un autre fait bouleversait singulièrement la communauté : les absences répétées d'Anna. Celles-ci survenaient, depuis sa première attaque, de façon très régulière et duraient parfois plusieurs jours. Pendant ces disparitions, les bonnes sœurs ne la voyaient plus du tout, ni au réfectoire ni à la chapelle, et elle n'accompagnait plus ses consœurs pour de longues marches dans la vaste cour intérieure du couvent. Ce qui dérangeait le plus les religieuses et, à un moindre degré, mère Alexandra, ne résidait pas dans le fait qu'elle négligeait ses devoirs religieux. Elle ne faisait pas partie de l'ordre, elle n'avait pas prononcé de vœux et n'avait, en principe, aucune obligation. Non, elles se préoccupaient beaucoup plus de sa santé physique et mentale. Les bonnes sœurs, habituées aux longues heures de méditation et de prière dans le silence et la solitude, arrivaient difficilement à s'imaginer que quelqu'un puisse se priver, après ces périodes de solitude, de la présence de ses consœurs à la chapelle, au réfectoire et encore moins pour la promenade de fin d'après-midi où, même si elles n'en abusaient pas, elles avaient la possibilité d'échanger quelques bavardages. De plus, en dehors de la belle saison où elle pouvait croquer quelques fruits et légumes, est-ce qu'Anna se privait de nourriture pendant deux, trois et même quatre jours? À vrai dire, la principale source de leur inquiétude prenait naissance dans leur ignorance des raisons de ces absences. Pourquoi Anna disparaissait-elle? Parce qu'elle était malade, d'une autre maladie moins grave et plus discrète que la première? Parce qu'elle méditait vraiment très fort? Parce qu'elle était rongée à l'extrême par des souffrances intérieures qu'elle ne voulait ni ne pouvait montrer?

Enfin... enfin... mère Alexandra venait d'écrire «le mot» dans sa dernière phrase : DISPARAÎTRE. Le bruit, même si dans cette enceinte les bruits se faisaient chuchotis, le bruit courait, et depuis fort longtemps, qu'Anna disparaissait au sens matériel du terme : elle s'évanouissait, se dématérialisait! Pourquoi et comment cette rumeur persistante était-elle née? Mère Alexandra l'ignorait. Bien entendu, lorsqu'Anna s'absentait, nul ne la voyait plus où que ce soit : ni au réfectoire, ni dans la cour, ni à la chapelle, etc. En outre, toutes savaient qu'elle ne répondait pas si on cognait à sa porte, que celle-ci était fermée à clé — l'ancien logement du père Clovis possédait une porte avec serrure contrairement aux cellules des religieuses — et que, pendant ces quelques jours, on ne pouvait voir d'empreintes terreuses ou de travée plus fraîchement lavée. Si Anna laissait une traînée boueuse ou poussiéreuse derrière elle en revenant du jardin, elle avait l'habitude de faire disparaître cette saleté en lavant seulement la largeur requise et non tout le corridor, d'où la légère différence que l'on pouvait remarquer. Et parfois, elle l'oubliait ou ne remarquait point la trace laissée. On pouvait apercevoir de petits pas poussiéreux dessinés sur les dalles du corridor jusqu'à l'appartement d'Anna ou jusqu'à la remise de fruits et légumes. Étant donné que seule la cuisinière en chef, sœur Sabine, se rendait dans l'aile ouest durant l'été, le commérage venait sans doute d'elle, mais même là, cela ne pouvait justifier la création d'un tel mythe : se dématérialiser! Elle se cloîtrait dans son appartement et refusait de voir âme qui vive, un point c'est tout! Jusqu'à tout récemment, mère Alexandra ne possédait pas non plus d'explications logiques aux disparitions d'Anna, mais maintenant, elle savait : Anna ne s'évanouissait pas, elle ne se changeait pas en courant d'air ou en spectre et elle ne pansait pas ses plaies dans la solitude absolue de son logement, elle sortait! Elle en était informée maintenant, depuis la visite d'Anna Bourré. Et elle n'avait pas oublié, comme toutes les autres résidentes semblaient l'avoir fait, l'existence d'une porte étroite, vermoulue, couverte de lierres, qui perçait l'imposant mur de pierres entourant le jardin et qui donnait sur une ruelle piétonnière. Dans le temps, seul le vieux Clovis l'utilisait pour entrer et sortir du couvent sans importuner les religieuses et lui seul en possédait la clé!

Donc, Anna allait faire de petits tours en ville en collégienne délurée et ne voulait évidemment pas que ça se sache; c'était finalement signe de bonne santé! Mais qu'allait-elle y faire de façon si régulière et pour de si longues périodes? Elle ne pouvait ni magasiner, ni aller au cinéma, ni... elle n'avait pas le moindre sou vaillant! À moins? À moins qu'Anna ne vendît quelques fruits et légumes ou encore les magnifiques arrangements floraux qu'elle pouvait agencer. Nul n'aurait pu dire qu'elle enlevait le pain de la bouche de ses camarades; le jardin rendait beaucoup plus depuis qu'Anna l'avait pris en main, il fournissait, bon an mal an, de meilleures récoltes que du temps où le père Clovis vivait toujours et s'en occupait. Ainsi donc, tout s'expliquait ou presque, et Anna, qui était vraiment un ange de bonté et qui possédait de merveilleux dons de guérisseuse, ne se débarrassait pas réellement de son enveloppe charnelle pour aller faire ses comptes rendus à Dieu! Elle se débarrassait plutôt de son déguisement de nonne et allait changer d'air en ville quelques jours par mois. Mère Alexandra ne pouvait l'en blâmer, elle l'enviait légèrement. De toute façon, cela devait la soulager un peu des situations angoissantes que ses crises lui faisaient vivre. Somme toute, la supérieure n'avait jamais cru à ces disparitions auparavant et, maintenant qu'elle détenait l'explication logique, elle n'ajoutait pas plus foi au dire d'Anna Bourré, qui affirmait l'avoir rencontrée en ville, par hasard.

Et vlan! Le tiroir secret venait brusquement de s'entrouvrir et de laisser voir ce qu'il recelait. Mère Alexandra discernait maintenant clairement ce qui se cachait dans un recoin perdu de sa boîte noire et avait jusqu'à ce moment refusé de sortir! Anna Bourré avait finalement servi à quelque chose et le fait s'entendait bien. Ce que mère Alexandra désirait vraiment depuis quelque temps et qu'elle ne pouvait conceptualiser, c'était des éclaircissements sur la relation Anna-Anna. Et le seul endroit où elle pourrait obtenir des informations sur le sujet était l'école secondaire où elles s'étaient connues et avaient étudié ensemble. Elle espérait, fébrile, maintenant que son dessein s'était dévoilé, que l'école en question ait conservé les dossiers les concernant et que ceux-ci renferment autre chose que des relevés de notes et d'absences. Mieux, beaucoup mieux, si des professeurs ou le directeur de cette époque y travaillaient encore, elle pourrait glaner des renseignements beaucoup plus pertinents, plus «vivants»!

Mère Alexandra se leva d'un bond, vida son verre d'un trait, griffonna une note à l'intention de la portière, se mit une gomme à mâcher dans la bouche, en mit quelques autres dans son porte-documents, prit sa gabardine et son parapluie, retourna à son bureau pour noter l'adresse de l'école et en sortit comme une flèche sans prendre seulement le temps d'appeler à cette même école auparavant. Quand mère Alexandra avait pris une décision, la procrastination ne faisait pas partie de ses plans de campagne et les atermoiements, de son attirail de combat!

Elle sortit du monastère après avoir laissé sa note et ses directives à sœur Hortense, qui était de faction à la porte. Pendant qu'elle refermait la lourde porte derrière elle, un client attablé près d'une fenêtre du restaurant se trouvant de l'autre côté de la rue lorgna dans sa direction en notant dans un calepin : «Première sortie du monastère des cloîtrées, 13 heures 25. Faire petite enquête discrète dans le quartier.» J.-F. Caron se leva pour régler l'addition et, du même coup, commencer son enquête.

28 octobre 1995

Le soleil ne veillait pas tard en ces dernières journées d'octobre; quelques minutes plus tôt, il chauffait la tête et les épaules des passants, puis il disparut soudainement derrière les montagnes. Ce n'était même pas l'heure du souper. Bien que l'air se refroidît rapidement, Anna enleva ses verres fumés, les fourra dans son sac à main, releva le col de son manteau et décida de faire un tour dans le parc avant d'entrer boire quelques verres et de déguster les amuse-gueules du bar Cicéro, le lieu de rencontre des hommes d'affaires et professionnels de l'ouest de la vieille ville. Arrivée à l'extrémité sud du parc, elle pensa qu'il valait sans doute mieux qu'elle arrive au bar un peu plus tard, quand il y aurait foule et que les clients auraient déjà pris quelques consommations. Elle retourna au milieu du parc, près de l'étang, déserté à cette période de l'année, et, profitant de l'éclairage des nombreux lampadaires, jeta un œil à la une d'un quotidien du matin qu'elle avait acheté plus tôt : son portrait-robot occupait la moitié de la page frontispice! Elle n'aurait franchement pas pu affirmer si le portrait lui ressemblait vraiment, mais il rendait suffisamment bien sa physionomie et imitait assez exactement les traits de son visage pour qu'elle risque de se voir dévisagée de façon fort gênante, surtout sous un éclairage vif et sans ses lunettes teintées! De se voir à la une d'un grand quotidien lui fit tout drôle.

Ainsi, les flics — elle ne pouvait se figurer comment ils avaient réussi — savaient que c'était elle LA MEURTRIÈRE

EN SÉRIE! Pourtant, elle n'avait laissé que des morts derrière elle et aucun indice; seul le propriétaire de l'appartement dont elle s'était servie pour se débarrasser de Jules Riopel l'avait vraiment bien vue, de jour et de près. Et encore là, son allure de Jamaïquaine était particulièrement réussie! Comment ces ordures de *beûs* étaient-ils parvenus à apprendre que c'était elle? Elle n'avait jamais douté qu'elle pourrait mener à bien sa «mission»; les victimes n'avaient aucun lien entre elles; elle changeait d'apparence à chacune de ses sorties; elle effaçait bien toutes les empreintes... Merde! Ces pourris de chiens reniflaient partout et débusquaient le gibier à coup sûr : ils méritaient bien leur sobriquet de chiens! Elle devrait se montrer hyperprudente maintenant qu'ils savaient et surtout depuis que son portrait traînait partout! À partir de quoi avaient-ils pu construire leur portrait-robot? Il était après tout assez réussi. On ne l'avait pas prise en photo depuis... l'école. Ils étaient remontés jusque-là! Mais ces photos dataient d'une douzaine d'années et le portrait-robot n'était pas parfait, cela lui laissait une certaine marge de manœuvre. Elle songea que si elle mettait les lentilles cornéennes qu'elle avait récemment achetées, si elle changeait sa coiffure et son maquillage pour se vieillir un peu au lieu de se rajeunir, on ferait très difficilement le rapprochement entre elle et le portrait du journal. Elle avait elle-même été soumise à l'effet de ces lentilles lorsqu'elle les avait essayées pour la première fois. Celles-ci rendaient ses yeux d'un bleu si profond, presque marine, qu'on ne pouvait regarder ailleurs! Elle était restée plantée devant le miroir plus d'une demi-heure, ne pouvant détacher son regard de ses propres yeux, fascinants, à la Élizabeth Taylor, en mieux, en pire?

Anna se pointa donc au bar Cicéro juste au moment où on diminuait l'intensité de l'éclairage et elle entendit le traditionnel appel du barman :

— Dernier service du 5 à 7, mesdames et messieurs. Il est 18 heures 45. Dernier....

Elle sentit que des yeux, plus d'une paire, se posaient sur elle. Mine de rien, en se débarrassant de son imper, en se

116

replaçant les cheveux et en ouvrant son sac, elle put expertement passer ses «soupirants» en revue, car il s'agissait bien de soupirants et non de *setters*. Ils soupiraient de convoitise et «d'amour», ils ne bavaient pas parce qu'ils avaient pourchassé et coincé la proie! Non, les yeux inquisiteurs n'avaient pas reconnu la dangereuse femme du journal, mais la plantureuse créature de leurs fantasmes!

En attendant que le barman lui apporte son Bloody Mary et pendant que quelques mâles en rut la dévoraient toujours des yeux, elle fit elle-même un tour de salle. Elle cherchait une personne en particulier : Me Ghislain Massé, l'éminent juriste. Depuis près d'un an maintenant, deux ou trois fois par mois, elle épiait ses allées et venues et elle savait qu'il venait régulièrement au bar Cicéro, tout particulièrement les jeudis. Il apparaissait habituellement vers 18 heures 30 et étirait souvent l'heure joyeuse jusqu'à 20 ou 21 heures. Anna avait tout juste terminé son investigation visuelle des lieux et constaté que son pigeon n'y roucoulait pas encore lorsque celui-ci prit littéralement d'assaut la place! Il affichait la prestance du paon rendant visite à sa basse-cour : peu importait qu'il fît de l'esbroufe en Cour supérieure ou en basse-cour, il régnait en maître incontesté du poulailler! Poulettes et jeunes coqs n'avaient d'yeux que pour lui : il en imposait par sa stature, son verbiage et son plumage! Un très beau jeune homme, un Adonis, l'accompagnait, et la paire ne manqua pas de produire un effet considérable. Les deux oiseaux prirent place au bar rectangulaire du centre, tout juste en face d'Anna. La jeune femme ne se gêna pas pour zyeuter les deux hommes, tout particulièrement l'aîné, le superbe et tout aussi vaniteux Me Massé, son ex-patron... Celui-ci ne manqua pas de remarquer la sculpturale rousse aux yeux à la Élizabeth Taylor qui le fixait effrontément. Malgré toute sa prestance et son arrogante assurance, l'éminent homme de loi paraissait, de toute évidence, fort mal à l'aise.

«T'aimes pas ça te faire dévisager comme ça, mon salaud, quelques vieux remords doivent hanter le fin fond de ta cervelle pourrie. Tu ne sais pas qui je suis, ni où tu m'as rencontrée, mais quelque chose te titille les neurones et peut-être les couilles, sépulcre blanchi!» pensa Anna.

Sur ce, elle se reprit; il ne fallait surtout pas effrayer le volatile. Elle venait de tendre le filet, mais un seul mouvement brusque et la proie pouvait lui échapper, ce qui ne devait en aucun cas se produire. Elle descendit donc de son tabouret et se rendit, d'une démarche nonchalante mais combien aguichante, jusqu'aux toilettes. Lorsqu'elle en revint, plusieurs minutes plus tard, le temps requis pour qu'une beauté puisse s'en refaire une, elle s'aperçut qu'un deuxième verre de Bloody Mary accompagnait celui à peine entamé qu'elle avait laissé en partant. Elle fit savoir au barman poliment, ingénument, qu'elle n'avait pas réclamé une nouvelle consommation et celui-ci lui répondit que c'était une gracieuseté de Me Massé. Comme elle feignait de ne pas connaître le monsieur en question, le barman lui fit savoir tout aussi poliment, crédule, qu'il irait le remercier pour elle et qu'ainsi elle saurait qui était son généreux bienfaiteur; ce qu'il fit, le silence de sa cliente équivalant pour lui à un assentiment. Lorsque l'employé du bar se pencha — il devait bien mesurer deux mètres — au-dessus de son fortuné client pour lui transmettre ses remerciements, Anna lui décocha un chaleureux sourire. La mise-en-marche-du-processus-courtois-en-vue-d'accouplement venait de se mettre en branle! Prochaine étape du processus : l'invitation à venir se joindre à eux, probablement à une table éloignée du bar et encore plus vraisemblablement lorsqu'il se lèverait pour aller faire le vide. La chose ne devrait pas tarder, ni se produire trop rapidement. Il fallait quand même respecter les procédures! La chose se produisit donc lorsque Me Massé eut terminé sa première consommation et qu'il eut noté qu'Anna avait également achevé son premier verre. Tout se déroulait selon les règles du jeu. Bien que le délai normal ne fût que d'une vingtaine de minutes, le sang de la jeune femme bouillonna dans ses artères tout au long de l'attente. En vraie panthère, elle avait toutes les peines du monde à se contenir, à retenir ses muscles bandés et à ne pas bondir sur sa proie avant que celle-ci se trouve dans son rayon d'action !

Aussitôt qu'ils furent tous trois assis à une table portant l'indication RÉSERVÉ mais qu'une serveuse, curieusement, s'empressa d'enlever, Ghislain Massé, en gentleman, prit la parole en proclamant :

— Alexandre, mon cher, nous n'allons pas ennuyer mademoiselle avec nos problèmes légaux et nous allons enfin laisser les discussions professionnelles là où elles devraient se tenir : au bureau ! Alors, mademoiselle, si vous le permettez, je vous présente ma toute dernière recrue, Alexandre Cyr, qui vient de se joindre à mon équipe. Je me nomme Ghislain Massé. Et vous, gente dame ?

— Anna.

La conversation, après les questions et réponses rituelles sur les occupations respectives de chacun, se fixa un moment sur le sujet de thèse en criminologie à laquelle Anna travaillait : *Les relations mère-fils lorsque la mère a été victime d'inceste.* Ils en discutèrent vraiment très peu, Anna prétextant qu'elle désirait également laisser ses recherches à l'université. La discussion devint bavardage, coq-à-l'âne. Elle sauta du temps au cinéma pour aboutir aux jeux olympiques. Pendant ce temps, les tournées ne cessèrent d'échouer sur leur table et, comme à l'habitude, Anna se garda bien de surconsommer, laissant ce plaisir à ses nouveaux amis. Au cours de la conversation, entretenue le plus souvent par le volubile et expérimenté orateur qu'était Me Massé, Anna jeta à l'occasion un coup d'œil du côté du jeune Cyr et, chaque fois, elle le pinça les yeux posés sur elle. Aucune surprise à cela, ce n'était pas la première fois qu'elle détectait des regards de convoitise et des yeux humides de désir dans le visage d'hommes plus jeunes qu'elle ! De toute façon, le phénomène ne l'étonnait pas non plus : n'était-elle pas l'archétype de l'objet sexuel féminin par excellence, surtout affublée et déguisée en vamp à la Jane Mansfield ? Cependant, Anna était de son côté assaillie par un curieux mélange de sensations. Elle ressentait une attirance toute physique pour ce jouvenceau, ce qui était une première pour elle, et elle ne pouvait empêcher sa matière grise de chercher, et de chercher encore à qui pouvait bien ressembler ce jeune mâle. Plus les portraits de relations anciennes se succédaient dans son cerveau, plus elle croyait avoir déjà connu ou du moins, avoir rencontré ce jeune homme.

Vers 20 heures 30, à la surprise d'Anna, et à son grand déplaisir, presque à son désespoir, Ghislain Massé, après avoir demandé à ses amis s'ils désiraient un autre verre, demanda l'addition à la serveuse et s'excusa auprès d'eux de devoir les quitter :

— J'ai promis à mon épouse que j'irais la rejoindre chez des amis qui reviennent de voyage. Alors, si je veux arriver avant que la soirée se termine, je dois me hâter. De toute façon, vous vous amuserez beaucoup plus sans moi. Un vieux pitre de mon espèce ne peut que vous ennuyer et vous faire perdre votre soirée !

Me Massé régla donc l'addition et abandonna ses amis de 5 à 7 sans autre forme de procès ! Même en présence de cet Apollon, Anna ne pouvait cacher sa hargne. Son sang bouillonnait encore dans ses veines, mais cette fois la rage était mal contenue. Son jeune compagnon ne put que le remarquer et, trépignant sur son siège, il ne trouva pas autre chose à dire pour alléger l'atmosphère que :

— Alors, mademoiselle Anna, le départ de Me Massé vous ennuie-t-il à ce point ou si c'est plutôt ma compagnie qui vous lasse?

Anna, alerte, récupéra adroitement :

— Non, pas du tout, mais le contraire serait très exact. Les pédants de l'espèce de Me Massé m'horripilent au plus haut point et je cherchais plutôt, depuis quelque temps, un motif crédible pour quitter cette table sans vous offenser.

Le jeune avocat rougit jusqu'aux oreilles et, bien que son orgueil de mâle en fût flatté, se sentit encore plus mal à l'aise que précédemment. Anna, consciente de la délicate situation dans laquelle elle avait placé le jeune sire, lui tendit une secourable perche :

— Vous devez avoir un caractère d'ange pour supporter continuellement la présence d'un tel prétentieux et d'un être si dominateur à vos côtés. Je suppose que cela fait partie des désavantages inhérents aux débuts de carrière?

— Plus ou moins, Anna; excusez-moi, me permettez-vous de vous appeler Anna et de vous tutoyer, mademoiselle, maintenant que nous sommes seuls?

— Je ne le permets pas, monsieur, je l'exige! rétorqua Anna, prenant les grands airs de Mᵉ Massé et achevant sa requête avec un chaleureux et plus qu'amical sourire.

— Eh bien, merci, Anna! Comme j'allais te le dire, Mᵉ Massé se comporte beaucoup plus humainement en privé. Son attitude hautaine et son comportement dominateur font partie de l'image qu'il s'est créée pour impressionner ses rivaux aussi bien que les juges lors de ses plaidoiries, et cela lui réussit très bien, crois-moi. Et il faut ajouter, à son crédit, qu'il allie la compétence à la prestance; j'apprends beaucoup à le côtoyer et à l'assister. Un jour, je le quitterai et je volerai de mes propres ailes. En attendant, je tire le meilleur parti de la situation et je flotte au-dessus du reste!

— J'espère que tu deviendras un excellent avocat, un authentique défenseur des droits de la personne, Alexandre; la société en a bien besoin. Mais je souhaite également que tu ne deviennes jamais, au grand jamais comme ce type : une image de marque, sans cœur et sans âme!

Alexandre sourit de toutes ses dents. Anna avait frappé dans le mille; il espérait devenir un grand avocat tout en conservant intact son rêve d'adolescent : devenir une version moderne et même améliorée de sire Lancelot du Lac! Ils oublièrent tous deux «le roi Massé» et, pour le reste de la soirée, leur conversation tourna autour de sujets beaucoup plus éthérés et beaucoup moins professionnels. L'alcool aidant, le jeune Cyr devint de plus en plus entreprenant et Anna se laissa plus ou moins guider sur la voie glissante des contacts charnels. Lorsque le jeune homme quitta la table pour aller délester sa vessie de l'impressionnante quantité de liquide qui la distendait, Anna remarqua sa démarche mal assurée. L'heure était venue!

Aussitôt qu'il fut revenu de sa visite aux w.-c., Anna ne lui laissa même pas le temps de s'asseoir:

— Eh bien, Alexandre, ce n'est pas que ta compagnie me déplaise, mais bien qu'il soit encore tôt, je dois te quitter. Je veux avoir les idées claires demain matin pour avancer dans la rédaction de ma thèse.

— Puis-je t'inviter à prendre un dernier verre ou un café à mon appartement? Comme tu viens de le dire, la soirée est encore jeune, et nous aurons encore une bonne nuit de sommeil avant de nous remettre à la tâche demain.

— D'accord, Alexandre, mais pas plus d'un verre. Promis?

— Promis.

Et les deux amoureux quittèrent aussitôt l'endroit, tous deux conscients d'avoir respecté le code et de ce qu'un verre à la maison impliquait!

* * *

Son jeune amant dormait comme un petit ange. Même la force de la jeunesse avait dû succomber au sommeil et cela se comprenait aisément: une demi-douzaine de consommations doubles au bar, deux autres verres assaisonnés de deux Tylenol 500 et une super partie de jambes en l'air avaient le même effet qu'un direct de Muhammed Ali, en moins douloureux! Anna se tenait debout au pied du lit, nue, admirant son jeune Adonis gisant dans les bras de Morphée. Pour une fois, contrairement aux précédentes, elle avait pris beaucoup de plaisir à faire l'amour avec son amant d'une nuit; d'une nuit, car la chose ne se reproduirait pas: il devait mourir! Deux bonnes raisons motivaient cette inébranlable décision : premièrement, elle ne supportait pas que quelqu'un pénètre dans son intimité, que cela soit agréable ou non, et deuxièmement, il l'avait vue intégralement, sans maquillage et sans perruque ! En effet, lors de leurs ébats amoureux, le jeune Cyr avait pris les choses en main beaucoup plus qu'elle ne le laissait faire à ses clients habituels et, pendant lesdits ébats, elle avait perdu sa perruque rousse dévoilant sa blonde chevelure. Alexandre n'avait pas porté plus d'attention qu'il ne fallait à cet incident, vu les circonstances atténuantes, mais le fait demeurait qu'il l'avait contemplée dans sa nudité intégrale et que si elle le laissait vivre, la description qu'il pouvait faire d'elle fournirait à la police suffisamment de détails pour composer un nouveau portrait-robot qui serait, celui-là, beaucoup plus près de la vraie Anna ; et cela, elle ne pouvait aucunement se le permettre ; l'étau se resserrait bien assez comme cela !

Nerveuse, tourmentée, ne pouvant se résoudre à trucider froidement un innocent bébé, Anna ne prit pas la peine de se doucher et de changer de vêtements. Elle essaya tant bien que mal de faire disparaître les indices et empreintes qu'elle avait pu laisser çà et là tout en essayant de concocter dans sa tête la recette de l'assassinat. Elle ne pouvait se servir du poignard qui se trouvait dans son sac. Même profondément endormi, le jeune homme serait réveillé par la douleur et «s'ébattrait» sans doute assez longtemps avant de mourir. Il pouvait même crier et frapper à l'aveuglette, alors le bruit alerterait les voisins d'étage. Elle ne pouvait pas non plus l'étrangler de ses mains, pour les mêmes raisons. Le saigner en lui tranchant doucement la gorge avec son propre rasoir lui répugnait. En allant se chercher un verre d'eau à la cuisine pour avaler les deux analgésiques qui lui feraient le plus grand bien, elle trouva la solution : la cuisinière était au gaz. La solution inodore, incolore et sans douleur ! Le dénouement parfait ! Le témoin gênant ne pourrait plus parler et elle se sentirait moins coupable ! La solution finale lui ayant rendu tous ses esprits et presque tout son calme, Anna passa à la salle de bains et se rafraîchit rapidement. Revenant dans le salon, elle prit le temps de sortir les vêtements de son sac, de s'en revêtir et de les remplacer par ceux qu'elle portait au bar. Elle jeta un dernier coup d'œil à son amour d'un jour et retourna à la cuisine, où elle ouvrit au maximum tous les brûleurs, celui du four compris, puis sortit rapidement de l'appartement. L'air frais du corridor s'engouffra dans la pièce, et une fois la porte du trois pièces refermée, le rideau de la fenêtre de la chambre fut agité par la brise frisquette de la nuit qui y entrait à flots. Elle était grande ouverte.

Anna marcha quelques centaines de mètres et parvint finalement à héler un taxi libre. Elle lui donna sa destination : un motel dans la banlieue ouest de la ville. Elle y arriva en quelques minutes et, une fois sa chambre payée pour deux jours, elle se hâta d'y entrer, de prendre une douche brûlante et de se glisser sous les couvertures : elle avait grandement besoin de sommeil.

29 octobre 1995

J.-F. Caron frappa en même temps qu'il pénétra dans le bureau du lieutenant Paquin. Il était visiblement essoufflé et de toute évidence très agité, ce qui ne correspondait pas du tout à son tempérament. Il ne prit même pas le temps de saluer son supérieur et ami :

— Denys, *Sexy Sadie* en a raté un ! Nous avons sous la main un survivant et une description d'elle de pied en cap et...

— Woow ! l'Irlandais, respire par le nez et dérougis un peu ! Ton cœur va flancher avant que tu aies eu le temps de me dire ce qui se passe ! Assieds-toi, j'te sers un Doer's-Perrier. Après, tu m'annonceras calmement les nouveaux développements.

— Mais, Denys...

— Assis, j'ai dit, c'est un ordre, O.K. !

Son whisky-Perrier terminé, J.-F. Caron avait retrouvé son sang-froid et ses couleurs habituelles. Il reprit alors son exposé, en relatant les faits avec ordre et méthode :

— D'abord, un jeune avocat s'est présenté au poste 13 cet avant-midi. Il était dans tous ses états : blanc comme un linceul, le cœur dans la gorge, prêt à vomir à tout moment, paniqué... mets-en ! Il affirmait avoir été l'objet d'une tentative de meurtre et les policiers en service n'ont pas eu de problèmes à le croire sur parole : il avait l'air d'un zombie ! Après avoir consigné sa déposition, deux agents l'ont accompagné jusqu'à son appartement, question de comparer ses dires avec la réalité et de rassembler des éléments de preuve, mais pas avant de m'avoir averti. La description de la présumée criminelle collait si bien au portrait-robot qu'un d'entre eux a jugé qu'il valait mieux m'avertir. Je suis donc arrivé sur les lieux de la présumée tentative de meurtre en même temps que les policiers du 13 et la victime, Alexandre Cyr, un jeune avocat nouvellement recruté par le prestigieux bureau Massé & Associés. J'ai personnellement supervisé le prélèvement des empreintes, la cueillette des indices, etc. Des empreintes, il y en avait partout dans l'appartement et nous avons retrouvé des cheveux roux bouclés et des cheveux blonds. Je n'ai pas attendu le rapport du labo pour venir te voir. J'ai ensuite moi-même repris l'interrogatoire du jeune Cyr, un interrogatoire très mollo, tu peux m'en croire : le damoiseau était vraiment tendu comme une corde d'arc ! Même quelques heures après s'être aperçu qu'il respirait toujours, il n'en revenait pas d'avoir été la cible d'une tentative de meurtre. Même si la chose ne m'est jamais arrivée, je peux aisément le comprendre ; on serait bouleversé pour moins que ça !

Le sergent Caron s'arrêta, son débit s'était accéléré et son souffle, raccourci. Paquin, les doigts de la main bien étalés, porta son pouce à sa bouche, imitant le geste de quelqu'un avalant le liquide d'un verre, lui en offrit un des yeux. J.-F. Caron, en guise de réponse, poussa son verre vide devant lui, sur le bureau qui les séparait, et le lieutenant Paquin lui servit une généreuse mesure de Doer's qu'il baptisa d'une larme de Perrier. Caron en ingurgita une bonne lampée et, sans que son lieutenant ait dit le moindre mot, reprit son exposé là où il l'avait interrompu :

— Alors, notre chère Anna a levé le lièvre au bar Cicéro. Nous avons une douzaine de personnes pouvant l'attester, bien qu'aucune d'entre elles n'ait fait le lien entre Anna et le portrait-robot paru dans les journaux ; il ne doit pas être tellement ressemblant ! Peu importe, maintenant, grâce aux super ordinateurs

dont nous disposons, gracieuseté de M. Gentile, nous en possé-
derons un et même plusieurs sous tous les angles, m'a-t-on dit,
qui seront aussi vrais qu'une photo. Donc, Anna et Alexandre
Cyr se sont rencontrés et sont partis ensemble du bar Cicéro,
un bar chic de la haute-ville où se rencontrent les hommes
d'affaires et les professionnels du coin. Mais, avant d'être deux,
ils étaient trois, et la troisième personne n'était nulle autre que
le réputé juriste Mᵉ Ghislain Massé...

— Qui?

Le lieutenant Paquin n'eut que le temps de formuler sa
question; J.-F. Caron avait rapidement avalé une petite gorgée
de scotch et reprenait :

— ... qui a déjà été l'employeur d'Anna Guay. Je suis
passé par son bureau en venant ici et, crois-moi, il a sorti ses
fiches d'employés sans se faire prier. Nul besoin de mandat,
ni même de lui montrer ma *badge*, le bonhomme a failli me
claquer dans les mains quand je lui ai expliqué pour quelle
raison je désirais feuilleter ces documents! Je te le dis, Denys,
c'est la première fois de ma vie que je vois quelqu'un devenir
vert. Pas blanc, ni verdâtre, vert-pomme-Granny! Donc, Anna
voulait ramasser Massé, sans doute pour les raisons que nous
connaissons, et elle l'a manqué : il les a quittés très tôt dans la
soirée. Le barman et la serveuse ont donné la même heure,
20 heures 35. Pourquoi s'est-elle contentée de Cyr? Pourquoi
a-t-elle quand même voulu le tuer? Ça...

Cette fois, Denys Paquin coupa la parole au sergent Caron,
ce qui permit à ce dernier d'enfiler une bonne rasade d'alcool.

— Elle s'est sans doute rabattue sur le jeunot par dépit
ou peut-être par simple désir charnel et elle se devait de le faire
disparaître parce qu'il l'avait vue sans atours, dans toute sa
nudité! Elle n'a pas fait usage d'armes et n'a pas montré sa
férocité habituelle, cela prouve qu'elle voulait se débarrasser
du témoin mais qu'elle ne le haïssait pas. Avant d'aller plus
loin, J.-F., où ce jeune homme se trouve-t-il présentement?
J'espère bien qu'il bénéficie de la protection de la police. Si la

réponse est non, communique immédiatement avec ton *staff* pour qu'on fasse le nécessaire, et si la réponse est oui, fais renforcer les mesures de sécurité. J'entends par là que non seulement il soit protégé mais qu'il ne puisse entrer en contact avec qui que ce soit sans mon autorisation et que personne, en dehors de toi, de Gentile et de moi, ne sache où il se trouve. Je m'organiserai avec Gentile si je juge qu'il vaut mieux le faire sortir des limites de la ville. O.K., J.-F.?

— O.K., *boss*. Mais, question pour question, qui t'a dit qu'Anna avait essayé de l'endormir à perpète par le gaz? Je n'ai jamais dit un mot à ce sujet!

— Je n'ai pas mentionné le gaz non plus, J.-F. J'ai dit qu'elle n'avait pas utilisé d'armes ni fait étalage de sa cruauté coutumière. Ce n'était pas sorcier à déduire, puisque Alexandre Cyr s'est présenté au poste de police sur ses deux pieds! Anna n'a pas l'habitude de rater son coup, n'est-ce pas? Continue, J.-F.

— Ouais... Alors, ils sont allés chez Cyr où ils ont pris deux autres verres, puis ils ont baisé un bon coup. De cela, le jeune Cyr se souvient avec une certaine nostalgie, car même dans son agitation, il a trouvé le moyen de reprendre des couleurs en en parlant! Ça doit être une vraie Bethsabée notre Anna! Après, il s'est endormi, et c'est un furieux mal de tête et une nausée épouvantable qui l'ont tiré du lit. Tous les brûleurs de la cuisinière à gaz étaient ouverts au maximum et avaient craché leur poison pendant plusieurs heures. Il les a fermés, mais plus rien n'en sortait lorsqu'il est entré dans la cuisine. Le fait qu'Alexandre Cyr dorme toujours avec une fenêtre grande ouverte, été comme hiver, lui a sauvé la vie! C'est une autre chose que je ne comprends pas très bien. *Sexy Sadie* qui prenait tellement de soins à tout effacer et à tout vérifier minutieusement après chacun des meurtres, semble s'être effacée fort rapidement après celui-ci, après cette tentative, devrais-je dire.

— Je crois qu'étant donné qu'Anna devait tuer Cyr pour ne pas laisser derrière elle un témoin gênant, et non par haine, elle a plus ou moins perdu son habituel sang-froid; elle ne procédait pas avec un plan précis, pour ainsi dire programmé, alors, dans un état de semi-affolement, elle a dérogé à ses habitudes. Mais maintenant, je peux te dire, J.-F., qu'elle a coopéré à mon projet sans le vouloir; elle joue une partie d'échecs sans le savoir. Toutes les pièces se sont placées au bon endroit, au bon moment, sans que je fasse quoi que ce soit. Que Dieu nous bénisse tous!

— Alowe, pat'on, pouwiez-vous dévoiler un peu de vot' bwillante stwatégie à vot' p'tit nègwe, pa'que là y voit 'ien veni'!

— *Come on*, J.-F.! Tu sais très bien que quand mes desseins passent de l'imaginaire au concret, tu en es le premier averti. Quand bien même j'aurais reçu des ordres du généralissime de la Sécurité nationale de ne rien dévoiler de mes plans, je te les révélerais quand même! Tu es mes bras, mes jambes et plus; la théorie sans mise en application pratique, ça ne vaut pas trente sous! Alors je t'apprends en primeur que Jim Gentile m'a rendu visite, tôt ce matin, pour me dire qu'il détenait Patrick Guay au secret et pour savoir ce que je désirais en faire. Ça ne pouvait tomber mieux. Nous allons diffuser partout le nouveau portrait-robot d'Anna, pondu par l'ordinateur-Merlin des services de Gentile, et ce portrait sera accompagné d'une photo trafiquée, une combinaison des visages d'Alexandre Cyr et de Patrick Guay. Les reportages de la presse écrite et parlée affirmeront que la dernière victime de la meurtrière en série est Patrick Guay, trouvé mort dans son appartement. Gentile m'a certifié que les ordinateurs, au moins un d'entre eux, peuvent réussir ce genre de travail; alors, ils nous produiront une photo ou un portrait qui ressemblera beaucoup à l'un et à l'autre, et cela poussera sans doute Anna à sortir de sa cachette!

— Excuse-moi, Denys, mais là, je te suis encore moins! Anna Guay doit être en mesure de reconnaître son propre frère et, en plus, elle sait très bien que le bonhomme qu'elle a tué hier, qu'elle croit avoir tué hier, se nomme Alexandre Cyr. Ils ont passé la soirée ensemble, il doit au moins lui avoir dit son prénom, par saint Georges! Explique au pauvre docteur Watson, je t'en prie, Sherlock!

— Élémentaire, mon cher Caron! D'abord, nous avons un atout majeur : Anna et Patrick Guay ne se sont pas vus depuis plus de dix ans. Et surtout, surtout, je souhaite mettre deux personnes en conflit. Je veux qu'Anna Guay en vienne à haïr profondément l'autre Anna, nommons-la ainsi, à la haïr suffisamment pour vouloir s'en débarrasser à tout prix!

— Denys, ma foi du Christ, tu déparles, tu divagues ou mes oreilles me trompent! Deux Anna, maintenant!

— Je pense — ce n'est qu'une hypothèse, une curieuse impression — qu'il y a toujours eu deux Anna : une victime et une vengeresse. Dans notre histoire, Anna Guay serait la victime et Mlle X, ou «l'autre Anna», la vengeresse. Anna X pourrait être n'importe qui : une amie, une mère adoptive, je ne sais pas. Peu importe, ma tactique consiste à les faire s'affronter, comme je te l'ai dit, et à espérer.

— C'est complètement pété, Denys, comme d'habitude, excuse, mais je te suis. Et si ça rate?

— Nous n'avons absolument rien à perdre. Il faut la faire sortir de sa tanière, sinon je désespère d'un jour la capturer. De toute manière, tu gardes ton équipe spéciale sur le qui-vive; cette partie de la stratégie est toujours valable. Des nouvelles de ce côté-là?

— Rien de terrible. La plupart des nonnes sortent des couvents régulièrement, maintenant. Une chance qu'il y en a de moins en moins et que, pour la très grande majorité, leur âge varie entre cinquante et cent cinquante ans! De toutes celles qui ont mis le nez dehors, aucune ne ressemblait un tant soit peu à Anna, aucune ne l'approchait en âge ou en *shape*. Elles ne portent plus de costumes, sauf les cloîtrées; ça va mieux pour l'évaluation. Les religieuses cloîtrées des monastères — il en existe encore deux dans la ville — ne sortent absolument jamais, sauf les pieds devant. «C'est la règle», m'a-t-on dit.

Pourtant, j'en ai vu sortir une, j'ai moi-même pris quelques quarts de vigie, et je l'ai discrètement suivie. Elle est allée dans une école et dans un magasin de la Société des alcools en revenant au cloître. J'ai pris quelques renseignements, encore une fois très discrètement, prétextant faire de la photo de monuments historiques pour le compte d'une société d'État, et les quelques marchands que j'ai interrogés m'ont appris deux choses. Premièrement, que seule mère Alexandra, c'est son nom et elle est la supérieure du couvent, sortait du cloître et, deuxièmement, que jamais elle ne me laisserait entrer là-dedans à moins d'avoir long comme le bras d'autorisations de l'archevêché et du gouvernement! En passant, cette mère Alexandra est aussi toute une femme, un mètre quatre-vingts et plus, des épaules de lutteur, pas laide du tout et dans le milieu de la quarantaine. Enfin, un de mes espions m'a dit avoir aperçu une jeune femme ressemblant vaguement au portrait-robot d'Anna passer dans la rue en face du monastère en question. Mais il est absolument certain qu'elle ne sortait pas dudit couvent : il n'avait pas quitté la porte des yeux depuis au moins quarante minutes. Il a quand même suivi la jeune femme jusqu'à ce qu'elle entre dans un cinéma, puis il est revenu à son poste d'observation. C'est tout.

— Fais inspecter tout l'extérieur de ce monastère et essaie d'en obtenir un plan détaillé aux archives de la ville. Triple le nombre d'observateurs aux alentours du cloître; il faut que quelqu'un soit en poste vingt-quatre heures sur vingt-quatre. Tu me refileras les résultats des analyses du labo le plus tôt possible, ce ne sera qu'une confirmation de plus et si jamais nous avons des empreintes, cela nous donnera deux preuves.

J.-F. Caron quitta son lieutenant et ami là-dessus, encore une fois abasourdi par les déductions ahurissantes de celui-ci. Denys Paquin resta assis à son bureau, il sirotait un autre Doer's-Perrier. Un sourire sibyllin éclairait son visage...

30 octobre 1995

Anna s'éveilla tôt dans une chambre du motel Acadia. Elle avait passé une nuit agitée, se réveillant à plusieurs reprises, trempée d'une sueur poisseuse et froide, une sueur de mort! Elle avait même dû prendre une douche et changer les draps au milieu de la nuit, tellement elle avait transpiré. Elle s'était levée très tard la veille, vers 15 heures, avait lu quelques extraits de la Bible, de cette fameuse Bible qu'on pouvait trouver dans à peu près tous les motels «respectables» de la province, puis avait mangé du bout des lèvres le repas qu'elle s'était fait livrer. Elle avait ensuite allumé le poste de télévision qui meublait la chambre et regardait distraitement les informations de 18 heures lorsqu'un bulletin spécial les interrompit. Le lecteur du bulletin d'informations lut un communiqué émanant de la GRC qui annonçait que la mystérieuse tueuse en série avait de nouveau frappé — encore une fois, sa victime œuvrait dans le milieu judiciaire — et que la victime en question se nommait Patrick Guay; les services d'identification avaient eu certains problèmes à trouver sa véritable identité. Un communiqué plus détaillé serait publié dans les journaux du lendemain. Apparut ensuite à l'écran un diptyque : un nouveau portrait-robot de la criminelle qui, cette fois, lui ressemblait à s'y méprendre et une photo de la victime. La photo du jeune homme ne correspondait pas parfaitement à l'image mentale qu'Anna avait gardée d'Alexandre Cyr, mais elle ne pouvait quand même pas douter qu'il s'agissait bien de lui! Que tous les démons de l'enfer s'emparent d'elle, Massé l'avait bel et bien présenté comme son assistant, Alexandre Cyr, avocat! C'était quoi ce bordel? Des idées et des explications aussi saugrenues les unes que les autres s'étaient bousculées dans son cerveau toute la soirée. Elle savait très bien que des tonnes de gens utilisaient de faux noms, surtout dans le monde interlope, des petits voyous aux mafieux en passant par les putes, mais un avocat membre du barreau et qui travaillait dans un bureau réputé? Un piège? Mais monté par qui? Elle savait depuis deux jours, depuis qu'elle avait vu son portrait-robot dans le journal, que la police était sur une piste, mais guère plus, sinon ils l'auraient appréhendée au bar Cicéro ou, au plus tard, dans l'appartement de Cyr-Guay. Non, absolument impossible, il suffisait de réfléchir froidement, un tout petit peu, pour reconnaître que la chose aurait été absolument impossible. Sa théorie tenait de la fiction la plus pure! Elle attendit, en état de transe, le bulletin de nouvelles de fin de soirée. Il ne lui fournit pas la moindre explication supplémentaire : on répéta, mot pour mot, les informations de 18 heures. Elle n'avait plus qu'à attendre la parution des journaux du lendemain, d'où sa nuit cauchemardesque!

Anna prit une deuxième douche, se drapa dans une serviette de bain, fit un turban de ses cheveux enroulés dans une autre serviette et se couvrit le visage d'une épaisse couche de crème faciale. C'est dans cette tenue et portant ce masque de beauté qu'elle paya le livreur, par la porte entrebâillée et balbutiant de timides excuses, qui lui apportait le déjeuner qu'elle avait demandé ainsi qu'un journal du matin. Elle referma la porte, tourna la clé, augmenta l'éclairage de la pièce, jeta le sac de nourriture aux poubelles et déplia nerveusement le quotidien. Le même diptyque que celui qu'on avait présenté la veille au bulletin de nouvelles occupait la moitié du haut de la une et l'article relatant les faits suivait. Elle le lut en diagonale jusqu'à ce qu'elle parvienne au passage qui l'intéressait vraiment : le nom de la victime ou, plutôt, comment on expliquait la confusion Guay-Cyr! Et tout y était expliqué, en long, en large et en détail : Patrick Guay, la victime, orphelin de père et de mère, issu d'une famille problème — l'article mentionnait les accusations qui avaient été portées contre son père et ses frères aînés, et la peine de prison que purgeait l'un des jumeaux encore vivant — avait émigré dans l'ouest du pays et y avait exercé divers métiers jusqu'à ce qu'il ait épargné suffisamment d'argent pour retourner aux études. Il était alors revenu dans sa ville natale et, avant d'entreprendre ses études de droit, avait demandé aux autorités gouvernementales la permission de changer légalement son nom. Son dossier judiciaire ne signalant pas la plus petite infraction criminelle, et vu les antécédents familiaux plutôt embarrassants pour un futur avocat, on avait accédé à sa demande.

Ciel de merde ! L'éclaircissement de l'énigme se révélait beaucoup plus simple que toutes les théories échevelées d'Anna. Patrick Guay avait, en effet, toutes les raisons du monde de vouloir changer de patronyme et, pourquoi pas, de prénom. Son passé et son avenir n'étaient pas des moindres ! Anna laissa tomber le journal et s'affala sur le lit, en proie à une furieuse crise de nerfs. Elle avait tué un innocent, le frère d'Anna en plus ! Sa vengeance aveugle et la protection qu'elle avait voulu assurer à Anna s'étaient retournées contre elle, contre elles. Il ne lui restait plus qu'une chose à faire, ou plutôt deux : aller voir Anna et lui raconter elle-même ce qui était arrivé avant que son amie ne l'apprenne autrement et... mettre fin à ses jours. Sa misérable existence n'avait plus de raison d'être ! Anna trouva suffisamment de calme pour s'habiller lentement et se fabriquer un maquillage qui lui permettrait d'accomplir ce qu'elle devait accomplir. Il n'était pas question que la police la prenne avant qu'elle voie Anna et elle n'avait nullement l'intention de finir ses jours en prison ou, pis, dans une chambre capitonnée ! Elle prit le téléphone et appela un taxi.

Son déguisement ou l'écœurement manifeste du chauffeur aidant, Anna fut conduite du motel aux environs du couvent, à quelques centaines de mètres, sans que celui-ci lève seulement les yeux sur elle. Par ce matin gris et pluvieux, elle ne rencontra pas âme qui vive en couvrant la distance qui la séparait du monastère. Avant d'agiter la grosse cloche de cuivre de la porte d'entrée, Anna retira ses lunettes noires et s'essuya le visage avec un mouchoir de papier. Elle sonna et la sœur portière ouvrit le judas :

— Ouvrez-moi vite, ma sœur, je viens rendre visite à Anna et c'est extrêmement important, lança Anna dès qu'elle reconnut sœur Agathe, qui était également de garde lors de sa première visite.

Sœur Agathe referma le judas, fit glisser le verrou et lui ouvrit.

— Une chance que je vous ai reconnue, Mademoiselle Anna. Mère Alexandra ne veut être dérangée sous aucun prétexte et je dois lui demander la permission pour laisser entrer qui que ce soit, mais vous êtes déjà venue une fois et mère Alexandra vous a laissée rendre visite à Anna, alors... Je ne peux absolument pas quitter mon poste et vous guider, vous vous y retrouverez? Et Anna ne vous recevra peut-être pas. Elle doit être souffrante : nous ne l'avons pas vue au réfectoire ni à la chapelle depuis trois jours maintenant! Alors, allez et revenez me prévenir si Anna ne vous répond pas, j'aviserai.

Sœur Agathe n'avait pas aussitôt terminé sa phrase qu'Anna s'était engagée dans le corridor principal et qu'elle tournait à gauche en direction de l'aile ouest : elle se souvenait. Sœur Agathe reprit son poste et sa broderie.

Anna parvint rapidement à la porte de sa «sœur». Elle prit une profonde inspiration, cogna, s'annonça et entra sans attendre de réponse. Personne n'avait pu lui répondre, car elle se trouvait seule dans cet appartement! Anna vit, accroché au mur qui lui faisait face, près du petit lit, le costume de novice d'Anna. Ébranlée, elle fit, d'un pas mal assuré, le tour du logement. Elle aperçut sur la table de chevet quelques livres de prières, et sur une étagère la surplombant, quelques bouquins d'horticulture et une demi-douzaine de romans à la couverture écornée. Elle passa dans le petit salon jouxtant la cuisinette et examina quelques vêtements de travail qui reposaient sur une chaise berçante : des jeans délavés, un coton ouaté et, par terre, au pied de la chaise, des espadrilles. En retournant à la chambre, elle jeta un coup d'œil dans la minuscule salle de bains, où des serviettes et des débarbouillettes lilas pendaient aux porte-serviettes. Elle revint à la chambre, chancelante et, après s'être complètement dévêtue, s'assit pesamment sur le lit. Tous les objets qu'elle avait aperçus ou manipulés, elle les connaissait si bien... évidemment, ils lui appartenaient !

Sœur Agathe entendit un bruit sourd provenant de l'aile ouest; elle pensa qu'Anna, ou une des deux Anna, avait laissé tomber un objet lourd. Et un deuxième coup résonna; cette fois, elle pensa plutôt à un coup de masse ou de poing dans une porte, un mur. Puis un troisième coup étouffé et un quatrième et un cinquième... Maintenant qu'elle y portait plus attention, elle identifiait mieux le son : des coups de marteau, mais des coups donnés avec un marteau de bois ou de caoutchouc, car on ne percevait pas le tintement clair du métal qui frappe le métal. Les coups ne cessaient pas, rythmiques, inquiétants... Ils s'arrêtèrent un moment puis reprirent, suivant une cadence un peu plus lente. Que se passait-il? Anna n'avait jamais exécuté de travaux de menuiserie et le nettoyage des pelles, pioches et râteaux, elle l'effectuait toujours dans le jardin, en ayant au préalable averti qu'elle ferait du bruit ! Et, en plus, elle recevait présentement une amie d'enfance ! Vraiment, quelque chose clochait et, progressivement, sœur Agathe se sentit envahie par une angoissante terreur, et elle qui ne pouvait bouger de là... Elle n'eut pas à le faire : déjà, de nombreuses religieuses se tenaient à la jonction du corridor principal et de l'aile est-ouest, ne sachant trop comment réagir, abasourdies, stupides ! Mère Alexandra arriva parmi elles comme une boule de quilles et cria de loin :

— Sœur Agathe, venez me rejoindre à l'appartement d'Anna. Allez me chercher sœur Lucie, quelqu'un; grouillez-vous, bande d'empotées !

Durant cet intervalle, une éternité qui dura deux minutes, jamais les coups ne cessèrent de se répercuter sur les murs du cloître. Sœur Agathe dégela et parvint à l'embranchement des deux corridors au moment même où sœur Lucie s'y présentait. Les deux religieuses emboîtèrent le pas à mère Alexandra qui, les distançant rapidement, arrivait déjà à la porte du logement d'Anna. Trouvant celle-ci verrouillée, elle frappa furieusement tout en criant le nom de la jeune femme d'une voix haut perchée, à mi-chemin entre la colère et l'hystérie.

— Elle n'est pas seule, ma mère, l'autre Anna doit être avec elle, cria sœur Agathe, voulant à coup sûr être entendue.

— Quoi? Allez me chercher la hache de pompier près de la porte du jardin, vite! Anna Guay, Anna Bourré, ouvrez cette porte ou je la fais voler en éclats! hurla mère Alexandra, transfigurée par l'effort et l'effroi.

Elle arracha l'énorme hache des mains de sœur Lucie et, sans autre avertissement, en balança un coup en plein centre du panneau supérieur; il s'éventra en émettant un craquement sec. Elle laissa tomber le lourd outil, passa un bras dans la large fente qu'elle venait de pratiquer et débloqua la serrure. Elle poussa brutalement la porte, qui heurta violemment le mur en sortant de son gond supérieur. Elle fit deux pas dans la pièce et, n'y voyant personne, se précipita vers l'autre extrémité, l'atelier du père Clovis. Sœur Agathe et sœur Lucie l'emboutirent, tellement mère Alexandra avait stoppé brusquement, et elles virent le spectacle que leur mère supérieure venait de découvrir : Anna sur un immense crucifix (celui que le vieux Clovis n'avait jamais pu terminer, il ne manquait qu'un bras au Christ qui «dormait» dans un coin) retenue par un bras, clouée à la croix! Les deux pieds et la main de ce bras étaient percés de part en part par des clous de six pouces tandis que l'autre bras reposait le long de son corps et retenait encore le marteau. Anna laissa tomber l'outil de son supplice et, avant de perdre conscience, tourna vers les spectatrices un regard de moribonde, des yeux remplis de désespoir : le miroir de l'âme aussi brisé que l'âme elle-même! Un mince filet de sang s'échappait de chacune des plaies et de la bouche et du nez d'Anna; les trois saintes femmes n'avaient jamais eu de visions aussi effroyables! Mère Alexandra, par quelque courage hors du commun, parvint à reprendre suffisamment de sang-froid :

— Sœur Lucie, allez appeler le médecin en lui spécifiant bien que nous avons une religieuse très sérieusement blessée, des plaies profondes causées par des coups qui n'ont apparemment touché aucun organe vital. Profitez-en pour renvoyer toutes les curieuses à leur chambre en les enjoignant de prier pour Anna et revenez ici dès que vous aurez obtenu la garantie que le docteur rappliquera comme s'il avait le diable aux trousses. Sœur Agathe, venez m'aider.

Mère Alexandra parvint à arracher le clou qui retenait le bras d'Anna à la croix pendant que sœur Agathe lui soutenait le haut du corps. Elle tira ensuite la petite table de cuisine tout près du crucifix et les deux religieuses y posèrent avec précaution la tête, le tronc et les cuisses d'Anna. Elles parvinrent ensuite à déclouer les pieds de la martyre du «reposoir» où elle les avait fixés et purent ensuite la transporter sur son lit. Sœur Lucie revenait déjà confirmer l'arrivée très prochaine du Dr Allard et poussait devant elle un chariot rempli de serviettes, glace, médicaments, alcool, eau chaude, etc. Les trois femmes lavèrent Anna à l'eau tiède, désinfectèrent ses plaies à l'alcool et la recouvrirent de chaudes couvertures. Il ne leur restait plus qu'à attendre, attendre et prier!

— Alors, docteur Allard? dit mère Alexandra, interrogeant le vieux médecin qui soignait les religieuses du cloître depuis plus de trente ans.

Elle lui tendit un verre de Red Grouse sec, sans glaçons ni eau, comme il le prenait toujours.

— Elle va s'en tirer sans problèmes; vous savez, les suppliciés de la croix ne mouraient pas de leurs blessures. De toute façon, on ne les clouait pas, on les attachait simplement et ils trépassaient, asphyxiés, après des heures et parfois des jours. On devait quelquefois leur briser les jambes pour accélérer le processus, les achever, quoi! Aucun organe vital n'a été touché et je ne crois pas que les clous aient sectionné des tendons; elle n'en gardera que des marques. Et croyez-moi, mère Alexandra, je n'avais surtout pas l'intention de faire de jeux de mots. Les séquelles psychologiques seront certainement plus pénibles que les cicatrices de la chair, lui répondit calmement le D\ :superscript{r} Allard.

— Elle ne semble pas avoir saigné beaucoup, mais je n'ai pas tellement bien remarqué, vous savez.

— Non, ces plaies qui ne touchent ni organes ni muscles n'entraînent pas de grandes pertes sanguines. Elle en perd plus lors de ses crises, je crois...

Le D\ :superscript{r} Allard donna ses directives à mère Alexandra et lui promit de revenir chaque soir vérifier l'état de la patiente. La supérieure ayant refusé l'hospitalisation pour Anna, il l'enjoignit de «ne pas la laisser seule un instant, pas même une seconde».

Mère Alexandra et le vieux médecin restèrent alors assis face à face, en silence, pendant de longues, d'interminables minutes. Lorsque celle-ci se leva pour aller chercher de nouveaux verres, le docteur en profita, sans doute parce qu'il n'avait plus à la regarder dans les yeux, pour lui suggérer :

— Je crois qu'il serait souhaitable qu'un psychiatre rencontre Anna dès qu'elle se sentira assez bien physiquement; psychologiquement, je ne sais pas...

— Je ne sais pas non plus, docteur. Mais, pour le psychiatre, j'allais vous en faire la demande. Par contre, il faut que je sois certaine qu'hormis vous, moi et ce docteur, personne d'autre ne sera au courant de ce qui pourrait ressortir de ce traitement, enfin, de ces entretiens.

— Nous sommes liés par le secret professionnel, ma mère, et vous pouvez m'exclure de ce groupe si vous le désirez. Je crois cependant, vu la situation, que le D\ :superscript{r} Forget sera d'accord pour vous mettre au courant. Oh, j'oubliais : je peux vous l'envoyer ici même, c'est un de mes amis de collège et je ne saurais trop vous le recommander. C'est un homme d'une grande expérience et d'une droiture absolument remarquable. Cela vous convient-il?

— Parfaitement, vous déciderez vous-même de la date, du moment où Anna vous semblera en condition. Je ne crois pas que quelqu'un soit mieux placé que vous pour en juger. Je vous remercie de tout mon cœur, docteur Allard.

— Ne me remerciez pas, mère Alexandra. Premièrement, cela fait partie de mon travail et, deuxièmement, vous savez que vous pouvez compter sur moi sans restriction.

Les deux complices terminèrent leur verre et le Dr Allard laissa mère Alexandra seule dans son bureau, seule avec son angoissant problème!

18 novembre 1995

Le sergent J.-F. Caron s'étiolait pendant que son patron, le lieutenant Denys Paquin, se morfondait. L'inactivité leur pesait, physiquement et moralement : ils se tenaient tous deux affalés dans le fond de leur fauteuil, le teint gris, le regard morne. Ils attendaient. Plus tôt, ils avaient entrepris une partie d'échecs et l'avaient abandonnée ; il se passait des jours avant qu'une pièce soit jouée ! Leur verre de Doer's tiédissait et le Perrier qui l'accompagnait ne faisait plus de bulles ; ils attendaient. Depuis que Denys Paquin avait déployé son dernier piège, son ultime piège, il s'était écoulé quinze siècles, nul gibier ne s'y était pris et seules quelques rôdeuses avaient quelque peu attiré l'attention. Quelques nonnettes déguisées en femmes — c'était le bordel depuis que les religieuses ne revêtaient plus leurs habits de corneille — étaient sorties des huit couvents et y étaient entrées de la ville. Quelques-unes correspondaient au profil d'Anna par l'âge seulement ! Un policier en faction avait brièvement aperçu une jeune femme ressemblant à Anna passer devant le cloître des moniales, mais elle ne s'y était pas arrêtée. Le lieutenant Paquin avait alors demandé à Jim Gentile d'user de tous ses pouvoirs, relations, prérogatives, etc., afin d'obtenir un mandat, une permission quelconque pour «investir» les lieux ; le droit de visiter tous les couvents, simultanément, et de passer en revue toutes les pensionnaires et toutes les externes, toutes les religieuses et toutes les employées qui y résidaient ou pouvaient y entrer et en sortir. Et ils attendaient... Le téléphone était devenu le seul centre d'intérêt de leur existence; ils n'avaient rien d'autre à faire que se languir en espérant que cette fameuse autorisation de pénétrer dans la tanière leur soit donnée. Le piège, apparemment, ne servait plus à rien. Et le téléphone sonna... Avant de répondre, Denys Paquin appuya sur la touche MAINS LIBRES : il voulait que son ami J.-F. puisse, lui aussi, entendre.

— Denys, Jim Gentile. C'est O.K., j'ai pu obtenir une autorisation restreinte. Nous pouvons entrer et rencontrer toutes les religieuses et toutes les employées, s'il y a lieu, mais nous ne pouvons interroger qui que ce soit, hormis la supérieure de chacun des couvents. Nous devons informer l'archevêché du jour et de l'heure de nos visites et nous serons accompagnés, dans chaque cas, par l'aumônier du couvent. Alors, Denys, ça te va?

— Parfait, Jim, nous visiterons tous les couvents simultanément demain, à 19 heures, si cela ne cause pas de problèmes. Je veux un photographe et un spécialiste du service de l'identification à chaque endroit et j'aimerais que le registre des religieuses et des employées soit disponible aux fins de vérification. Crois-tu que cela soit possible?

— Je ne crois pas que la chose soit impossible, mais je vérifie tout ce que tu m'as demandé et je te rappelle. En passant, Denys, je dois te dire que ta requête a été plutôt mal reçue. Soupçonner une religieuse de meurtres sanguinaires et perquisitionner sans preuves... le ministre a tiqué et l'archevêque a braillé.

— Je m'en doute, Jim, merci infiniment.

— Ne me remercie surtout pas, Denys. Tu es... nous sommes dans la merde jusqu'au menton! Si les pieds nous glissent, nous allons avaler... nous allons bénéficier prématurément d'une belle petite retraite dorée, toi et moi!

«À la grâce de Dieu, Jim!» pensa le lieutenant Paquin et il appuya sur le bouton FIN D'APPEL.

Le sergent J.-F. Caron avait bondi de son siège comme un «Jack-in-the-box» et n'avait cessé d'arpenter la pièce tout au long de la brève conversation qui s'était tenue entre son patron et M. Gentile. Il attendait maintenant patiemment, car Denys Paquin réfléchissait au plan d'action. Celui-ci posa les mains sur son bureau et, les yeux rivés sur ceux de son assistant, s'exprima ainsi :

— J.-F., le grand jour est arrivé, ça passe ou ça casse, la gloire ou les orties!

Après une courte pause, il lui fit part de son plan de campagne :

— Je crois que tu sais ce qu'il te reste à faire, J.-F. Ramasse tous les agents disponibles et fais encercler les huit couvents. Avertis les huit supérieures que toutes les religieuses et tout le personnel féminin devront être réuni et que nul n'aura l'autorisation de quitter les lieux sauf pour raison de maladie grave; s'il y en a des cas, ces personnes sortiront dans les ambulances mises à leur disposition par la police. Les employées qui entreront pour leur travail devront être en file avec les religieuses pour la revue des troupes et passeront par le même traitement : photos et empreintes. Tu devras donc dénicher huit photographes de la police et huit spécialistes des empreintes avec leur équipement. Pour finir, J.-F., je me chargerai moi-même de l'équipe qui visitera le cloître des carmélites et tu t'occuperas de l'autre monastère de cloîtrées. Des questions, J.-F.?

— Une seule : quand doit-on mettre en place l'encerclement des couvents?

— On aurait dû le faire depuis deux semaines, J.-F.!

Le sergent Caron n'attendit pas une seconde de plus. Il tourna les talons et se dirigea vers la sortie, revint sur ses pas, avala d'un trait son verre de whisky et quitta les lieux après avoir lancé un clin d'œil à son vieux compagnon.

* * *

Le Dr Forget venait de passer près de quatre-vingt-dix minutes avec sœur Anna et se trouvait maintenant assis dans le bureau de mère Alexandra, lui faisant face. Elle s'adressa à lui la première :

— Je tiens d'abord à vous remercier de vous être déplacé pour venir voir notre chère petite Anna. Vous me direz de quelle manière vous envisagez de poursuivre la thérapie et comment, quand, nous devons régler vos honoraires professionnels. Mais, pour l'instant, quel est votre diagnostic après ce premier contact?

— D'abord, mère Alexandra, oubliez les honoraires, considérez-les comme ma contribution aux œuvres de Dieu et de ses témoins. Maintenant, pour en venir au sujet qui nous intéresse tous les deux, laissez-moi vous dire que la guérison sera longue et ardue, si elle est possible ! Je dois tout de suite vous avertir d'une chose : Anna a souhaité mourir et elle est passée aux actes, même si la méthode qu'elle a choisie ne comportait pas grand risque, si j'ose dire ! Et elle refera très certainement d'autres tentatives de suicide. Je ne saurais trop vous conseiller de la surveiller vingt-quatre heures sur vingt-quatre, sinon...

— Excusez-moi, docteur, pria mère Alexandra, interrompant le Dr Forget.

Elle décrocha l'appareil téléphonique se trouvant près d'elle :

— Sœur Séverine, laissez votre poste un moment, allez quérir sœur Lucie et demandez-lui de venir à mon bureau immédiatement. Merci, sœur Séverine.

Lorsque sœur Lucie entra dans son bureau, mère Alexandra lui donna ses consignes, puis servit un verre de Red Grouse au Dr Forget et se versa un Perrier. L'éminent psychiatre, après avoir ingurgité une lampée d'alcool, reprit religieusement son analyse :

— Sœur Anna m'a tout de suite confié, avant même que je lui pose une question, qu'elle a voulu détruire le monstre qui l'habitait. Étant donné qu'elle ne croit pas avoir réussi, elle essaiera encore, jusqu'à ce qu'elle y arrive; voilà pourquoi je vous ai conseillée de la tenir sous surveillance permanente. Si elle n'a pas tenté de nouveau d'éliminer le monstre en question depuis ce jour, c'est tout simplement que ses blessures corporelles ne le lui permettaient pas. Je n'ai pu savoir de quelle horrible créature il s'agissait; elle était en verve et j'en ai profité pour obtenir le plus de renseignements possible. Parfois, dans de pareils cas, il est tout à fait impossible de tirer un seul mot de ces patients.

Le Dr Forget fit une pause et en profita pour se «rincer» la bouche.

— Excellent votre whisky, ma mère. Usage thérapeutique? lança le médecin, un petit sourire taquin accroché aux lèvres.

Mère Alexandra lui adressa un regard complice en guise de réponse.

— Ainsi donc, je n'ai pu découvrir de quelle ignoble créature Anna pouvait bien vouloir parler; j'y parviendrai sans doute lors de nos prochains entretiens. Une chose est cependant sûre, ma mère : votre petite Anna, comme vous dites, souffre ou souffrait d'un dédoublement de la personnalité que nous classons comme «total et cloisonné». Nous entendons par là que chacune des personnes qui l'habitait n'avait pas conscience de l'existence de l'autre. Chacun de ces personnages avait, jusqu'à tout récemment, une existence distincte et autonome. Il se peut également, pour le moment ce n'est qu'une impression, que plusieurs personnalités ou sujets se soient partagé son cerveau : je serai en mesure de vérifier cela plus tard. Anna a donc voulu tuer le «dragon» qui vivait en elle en sachant consciemment, cette fois, qu'elle mettrait par le fait même fin à ses propres jours. Cela ne la trouble pas, la mort ne l'effraie pas : il ne s'agit que du prix à payer pour éliminer définitivement «la bête»! Étiez-vous au courant de cet état de choses, mère Alexandra? Quelque travers dans son comportement ne vous a-t-il pas troublée?

— Oui, docteur, mais ce n'est que très récemment que j'ai appris la chose et rien n'avait pu m'y faire songer auparavant, répondit la supérieure.

Les deux s'étant tus — le Dr Forget sirotait son whisky, laissant le temps aux pensées, les siennes et celles de la religieuse, de se décanter — mère Alexandra se retrouva, en esprit, face à la directrice de la dernière école qu'Anna avait fréquentée. Elle entendait encore ses paroles lui martelant le cerveau :

— Anna Bourré n'a jamais existé, ma mère... bien que tous ici, des étudiants à la direction en passant par le personnel enseignant, nous fussions parfaitement conscients que nous pouvions nous retrouver en face de l'une ou l'autre des deux Anna à tout moment ! Anna Guay était une jeune fille bouleversée, timorée, traumatisée, sans que nous en sachions la raison ; elle n'a jamais voulu se confier à nous. Elle vivait en recluse et refusait tout contact avec les hommes, étudiants ou professeurs. L'autre Anna intervenait, et de façon plus ou moins violente, si elle se sentait menacée d'une manière quelconque. Nous avons dû la renvoyer lorsqu'elle a failli tuer un étudiant à coups de chaise.

La discussion s'était mal terminée lorsque mère Alexandra avait traité la directrice de «nullité, sans-cœur et incompétente».

Le Dr Forget, s'étant aperçu que son interlocutrice était revenue sur terre, reprit :

— Je n'ai pas grand-chose à ajouter pour le moment, mère Alexandra. Veillez bien sur elle et montrez-lui toutes les preuves d'affection possibles. Vous et les autres religieuses du monastère êtes toute sa vie. Vous êtes sa famille, ses amies, vous êtes tout ce qu'elle a au monde ! Et elle sait, elle ne pense pas, elle ne croit pas, elle sait qu'elle vous a trahies.

— Mais, docteur...

— Mère, peu importe ce qu'elle a fait ou n'a pas fait, elle veut en finir avec le démon qui l'habite et ne peut plus vivre avec ce sentiment de haute trahison ! Prenez-en grand soin et peut-être pourra-t-elle continuer à vivre avec ses remords, l'autre Anna est presque morte déjà!

Mère Alexandra ne put que balbutier d'insignifiants mercis et le Dr Forget la laissa seule avec son affliction et son problème ou plutôt ses problèmes, car elle devait bientôt affronter une terrible épreuve : la visite de la police. Celle-ci s'était annoncée, après que mère Alexandra eut été avertie du pourquoi de sa venue par monseigneur l'archevêque lui-même, pour 19 heures ce soir-là et il était impossible de s'y soustraire. Elle devait donc organiser la réception vitement et efficacement; rien ne devait clocher! On l'avait avertie que l'officier de police en charge des opérations était un oiseau de proie. L'archevêque avait bel et bien utilisé le terme «oiseau de proie»!

Les trente-deux religieuses de la congrégation s'alignaient, dos au mur, sur une seule rangée, dans le corridor principal du cloître. Un policier se tenait devant la porte d'entrée et deux autres flanquaient l'oiseau de proie Paquin, tous les quatre en habit civil, pendant que l'abbé Léonard accompagnait mère Alexandra.

Le lieutenant Paquin et ses deux acolytes s'avancèrent vers la supérieure et le père Léonard :

— Mère Alexandra, je suppose? Je suis le lieutenant Paquin, de la brigade criminelle. Vous avez été informée de la raison de notre visite, comme je peux le constater.

— Oui, lieutenant, vous pouvez procéder! lui répondit-elle, glaciale!

De fait, Denys Paquin n'avait jamais entendu cinq mots exprimés aussi sèchement. La mère poule n'appréciait pas! Elle ne lui offrirait certainement pas le thé et les biscuits une fois que tout serait terminé! Il fit un petit signe de tête à un de ses assistants et celui-ci dégaina son appareil photo et entreprit de photographier chacune des religieuses.

— Toutes les religieuses et les employées du couvent se trouvent-elles bien ici, ma mère, sans exception? interrogea Paquin.

— Nous n'avons aucun employé, homme ou femme, lieutenant, et vous pouvez vérifier dans le registre que j'ai mis à votre disposition si toutes les religieuses du cloître sont bien devant vous, sans exception aucune, jeunes ou vieilles, malades ou bien portantes. Le registre en question est posé sur la petite table que vous avez exigée, au bout de la rangée. Toutes les religieuses qui sont entrées au couvent depuis 1847 y sont inscrites et l'inscription DÉCÉDÉE suit le nom de celles qui nous ont quittées pour rejoindre leur Créateur. Il reste donc dans ces lieux trente-trois religieuses, moi comprise. Cela vous satisfait-il, lieutenant?

La mère supérieure lui avait presque craché sa réponse au visage !

«Je n'aurais pas aimé l'avoir comme femme, celle-là !» pensa le lieutenant Paquin.

Faisant fi de l'attitude coléreuse de la supérieure, le lieutenant Paquin se dirigea lentement vers le guéridon mis à leur disposition, accompagné du spécialiste de l'identification. Il prit place et se mit à feuilleter le «Grand Livre» en notant sur une feuille les noms des religieuses toujours vivantes. Il s'en trouvait bien trente-trois, identifiées par leur nom de baptême et leur nom de religieuse. Il remarqua et nota au passage Alexandra McLaughlin, sœur Alexandra, mère supérieure du couvent depuis le 21 juin 1983. Le nom d'Alexandra McLaughlin tritura ses méninges et ses souvenirs refirent surface : il s'agissait bien d'Alexandra McLaughlin, la nageuse écossaise de calibre international, la championne olympique qui avait émigré au Canada après les jeux de 1968. Il se rappelait très bien la magnifique charpente de l'athlète, l'imposante stature de la religieuse ne le surprenait plus. Il finit de noter les noms des trente-deux religieuses, se leva et fit signe à son assistant; il restait à prendre les empreintes des trente-deux femmes, ou plutôt des trente-trois. Il ne pouvait déroger aux ordres stricts qu'il avait lui-même signifiés au responsable de chacune des sept autres équipes d'enquêteurs : photos et empreintes de toutes les religieuses et employées, qu'elles aient cent ans ou mesurent un mètre vingt, peu importe! Toutes!

— Mère Alexandra, puis-je demander aux religieuses de se présenter à la table pour que mon assistant puisse prendre leurs empreintes, ou désirez-vous le faire vous-même?

— Faites-le vous-même, lieutenant. C'est votre travail, non?

Décidément, la mère supérieure ne dérougissait pas. Sa réponse avait claqué comme un coup de fouet!

Le lieutenant Paquin appela donc les religieuses une à une et profita de leur bref passage à la table pour les dévisager sans vergogne. Si l'une d'entre elles correspondait un tant soit peu à la description d'Anna, il n'hésiterait pas une seconde à exiger qu'elle enlève sa coiffe, au diable le décorum! Elles défilèrent toutes devant lui et se plièrent à la procédure sans sourciller. Seulement deux d'entre elles étaient âgées de moins de cinquante ans et aucune des deux n'aurait pu gagner sa croûte sur le trottoir! Intérieurement, il souhaita ardemment qu'une des sept autres équipes mette la main sur Anna, sinon... la retraite dorée dont avait parlé Jim Gentile l'attendait! Restait mère Alexandra et ça ne pouvait être elle : elle faisait près de deux mètres! Il eut l'envie folle, lorsque celle-ci se présenta sans avoir été appelée, de lui demander de relever son accoutrement pour voir si elle ne portait pas des souliers de sport, mais il s'abstint, réprimant un fou rire. Il parvint plutôt, malgré l'évidente agressivité de la supérieure, à arrondir les coins :

— Désolé, ma mère, n'eût été de l'extrême gravité du cas dans lequel nous nous trouvons, je n'aurais jamais demandé pareille chose. Les exigences de mon métier sont parfois impitoyables.

— Je vous comprends parfaitement, monsieur Paquin, et je vous demanderais plutôt d'excuser mon comportement inacceptable!

Le lieutenant Paquin regarda mère Alexandra directement dans les yeux : elle s'était exprimée en toute sincérité.

— Je n'ai pas à vous excuser, ma mère. Moi aussi, je vous comprends parfaitement. Que Dieu me pardonne !

— Que Dieu vous bénisse, monsieur.

Le lieutenant salua le père Léonard, remercia les religieuses en s'excusant d'avoir troublé leur quiétude et s'inclina légèrement devant mère Alexandra. Il se rendit à la porte du monastère, s'arrêta un long moment, songeant que cet endroit ne sentait pas bon...

Mère Alexandra fit un petit signe du doigt et sœur Agathe s'en fut refermer la porte derrière les importuns visiteurs. Un énigmatique sourire éclaira son visage lorsqu'elle entendit glisser le verrou métallique.

— Personne ne nous prendra notre petite Anna !